LES
CONSERVES

Couverture
- Conception graphique
  Violette Vaillancourt
- Photo:
  Maryse Raymond

DISTRIBUTEURS EXCLUSIFS:

- Pour le Canada:
  AGENCE DE DISTRIBUTION POPULAIRE INC.*
  955, rue Amherst, Montréal H2L 3K4 (tél.: 514-523-1182)
  * Filiale de Sogides Ltée

- Pour la France et l'Afrique:
  INTER FORUM
  13, rue de la Glacière, 75013 Paris (tél.: (1) 43-37-11-80)

- Pour la Belgique, le Portugal et les pays de l'Est:
  S. A. VANDER
  Avenue des Volontaires, 321, 1150 Bruxelles
  (tél.: (32-2) 762.98.04)

- Pour la Suisse:
  TRANSAT S.A.
  Route des Jeunes, 19, C.P. 125, 1211 Genève 26
  (tél.: (22) 42.77.40)

LES CONSERVES

SOEUR BERTHE

LES ÉDITIONS DE L'HOMME

Données de catalogage avant publication (Canada)

Berthe, soeur, 1912 –

Les conserves. — Nouv. éd.

ISBN 2-7619-0763-9

Comprend un index.

TX603.B38 1988   641.8'52   C88-096318-2

© 1988, LES ÉDITIONS DE L'HOMME,
DIVISION DE SOGIDES LTÉE

Bibliothèque nationale du Québec
Dépôt légal — 2ᵉ trimestre 1988

ISBN 2-7619-0763-9

Introduction

Malgré les cuisinières modernes avec tous leurs gadgets, malgré tous les plats surgelés qu'on trouve sur le marché, la bonne cuisine reste toujours simple. Et les mamans, qui sont les meilleurs chefs de cuisine au monde, n'hésitent jamais à améliorer la façon de nourrir leur famille.

Les conserves faites à la maison ont toujours eu un cachet inestimable qui donnait à la table de nos grands-mères un attrait bien particulier.

Mes élèves veulent redonner à leur mari, à leurs enfants et à leurs amis ce que leurs parents et grands-parents ont connu: le charme indéfinissable d'un pot de confiture ou de légumes mis en conserve à la maison.

Qu'il me soit permis de remercier chaleureusement Mme Hélène Durant-Laroche sans qui ce livre n'aurait pu voir le jour. Ses quarante années d'enseignement de l'art culinaire à travers la province et son amour du «bel ouvrage» en ont fait une collaboratrice idéale.

Puisse ce livre apporter sur la table familiale cette joie de vivre en savourant les confitures de maman.

Soeur BERTHE, c.n.d.

AVERTISSEMENT

Le poison mortel qui cause le botulisme est produit par une bactérie sporifère appelée «*Bacille du botulisme*». Elle survit à l'entreposage de légumes non acides et insuffisamment stérilisés, encore que les contenants soient hermétiques. Il se pourrait qu'il n'y ait pas de signe indiquant la présence de détérioration, alors par précaution, **ne pas goûter aux légumes mis en conserve à domicile avant de les faire bouillir**. Cuire les légumes à gros bouillons, pendant au moins 10 minutes tout en les recouvrant. Ne jamais goûter un aliment en conserve avec une apparence ou une odeur étrange, un aliment qui jaillit ou encore avec formation d'écume: détruire un tel aliment.

Agriculture Canada, *La mise en conserve des fruits et légumes*, Publication 1560, 1975.

Généralités, outillage et marche à suivre

Les conserves

On désigne généralement sous ce nom des aliments conservés dans des bocaux de verre ou des boîtes métalliques hermétiquement fermées et stérilisées.

Le procédé «appert» (du nom de l'inventeur Nicolas Appert) est celui que l'on utilise pour la conservation des substances alimentaires appelées conserves. Cette découverte est un moyen économique de faire, à l'époque de l'abondance, une provision de fruits, de légumes et de viande qui permettra à la maîtresse de maison d'avoir, tout le long de l'année, une armoire bien garnie de conserves et de dire avec orgueil: «C'est moi qui ai fait toutes ces bonnes choses.»

Le but de la mise en conserve consiste tout simplement à garder aux aliments leur fraîcheur, leur goût, leur couleur, en les soumettant, par la stérilisation, à l'influence d'agents destructeurs dus à la croissance de certains organismes vivants dont quelques-uns ne sont perceptibles qu'à l'aide d'un microscope. Ce sont: les moisissures, les levures, les bactéries et les enzymes.

On retrouve ces micro-organismes un peu partout; ils se reproduisent dans l'air, dans l'eau, sur les fruits, sur les légumes et en grande abondance dans la terre et la poussière.

Ce chapitre contient de larges extraits de la brochure CONSERVES DE FRUITS ET DE LÉGUMES du ministère de l'Agriculture du Canada. Ces extraits ont été reproduits avec la permission d'Information-Canada.

Quelques points importants pour la réussite de la mise en conserve

PROCÉDEZ AVEC SOIN

Dès que vous avez décidé de mettre fruits et légumes en conserve, lisez les instructions. Même si vous n'avez jamais fait de conserves, vous pouvez obtenir de bons résultats.

Vous devez soumettre les produits à la chaleur assez longtemps pour détruire les levures, moisissures et bactéries qui pourraient gâter le contenu; ensuite, vous devez utiliser des contenants qui ferment hermétiquement afin d'empêcher les organismes nuisibles de s'y introduire après la stérilisation.

CHOISISSEZ DES FRUITS, DES LÉGUMES ET DE LA VIANDE DE HAUTE QUALITÉ

Assurez-vous que les fruits et les légumes que vous mettez en conserve sont sains, frais et mûris à point, que la viande est bien fraîche.

Les fruits, dont les tomates, doivent être fermes, bien conformés et bien mûrs. S'ils ne sont pas à point, faites-les mûrir afin qu'ils aient leur pleine saveur au moment de les mettre en conserve.

Les légumes doivent être jeunes et tendres. Ils doivent être frais cueillis car ils perdent un peu de leur saveur et de leur valeur nutritive même en quelques heures. Choisissez les haricots verts ou jaunes dont les grains ne sont pas pleinement formés dans les gousses; les asperges fermes à pointe compacte; les pois pas trop mûrs et le maïs à grains laiteux et tendres.

VÉRIFIEZ L'OUTILLAGE

L'outillage essentiel nécessaire à la mise en conserve est assez sommaire et la cuisine ordinaire renferme à peu près tout ce qu'il faut. Avant de commencer, assurez-vous que tous les articles sont prêts et en bon état. Vérifiez aussi votre provision de récipients.

Outillage

CUISEUR SOUS PRESSION

C'est un chaudron ou une marmite en métal épais, à couvercle hermétique, construit pour résister à la pression. Avec cet appareil on peut porter les produits à une température plus élevée que le bain d'eau bouillante, le four ou l'étuve à vapeur. Cette haute température détruit les bactéries nuisibles qui pourraient résister à la température d'ébullition dans les produits non acides. Pour cette raison, on recommande tout particulièrement le cuiseur sous pression pour tous les légumes. On peut s'en servir aussi pour les fruits dont les tomates.

Assurez-vous que le caoutchouc dans le couvercle du cuiseur est net et bien ajusté. Remplacez-le au besoin. N'immergez jamais le manomètre dans l'eau. Si vous vous servez du cuiseur sous pression, suivez attentivement les instructions du manufacturier.

Altitude

Si le cuiseur sous pression est employé, augmentez la pression de 1 lb (7 kPa) pour chaque 2 000 pi (610 m) au-dessus du niveau de la mer.

BAIN D'EAU BOUILLANTE

Si l'on ne possède pas de cuiseur sous pression, il est possible de stériliser les conserves de fruits et de tomates à l'aide d'un bain d'eau bouillante.

NOTE IMPORTANTE: Attention, cette pratique n'est pas recommandée pour les légumes ou les viandes! L'auteur a tenu à donner néanmoins, pour les viandes et les légumes, les temps de stérilisation au bain d'eau bouillante, qui demeure une pratique répandue dans le public. Nous vous conseillons une extrême prudence si vous désirez utiliser cette méthode (voir avertissement p. 7).

On peut se servir d'une grande marmite munie d'un couvercle fermant hermétiquement. On met au fond une claie qui permet à l'eau de circuler sous les bocaux ou les boîtes. Cette claie peut être de fil de fer, de tôle perforée ou de lattes de bois. Il faut que la bouilloire soit assez profonde pour que les contenants soient recouverts de 2 po (5 cm) d'eau au moins. Si l'eau ne recouvre pas les récipients, les produits ne cuisent pas de façon égale et la partie qui se trouve au-dessus de la ligne d'eau peut se décolorer.

Le bain d'eau bouillante est uniquement employé pour les fruits, dont les tomates, auxquelles on doit ajouter de l'acide citrique, et les piments.

SERTISSEUSE

Pour la mise en conserve dans des boîtes de fer-blanc, il existe différents genres de sertisseuses sur le marché. Choisissez une machine garantie qui bouche bien. La sertisseuse doit être bien faite, durable et de fonctionnement facile.

La sertisseuse doit être essayée occasionnellement pour voir si elle scelle hermétiquement. Pour ce faire, placez un peu d'eau froide dans une boîte vide et fermez-la à la sertisseuse. Puis, au moyen d'une paire de pinces, plongez la boîte dans l'eau très chaude, le bout nouvellement fermé tourné vers le haut et tenez-la immergée pendant une ou deux minutes. Si vous ne voyez aucune bulle d'air sortir du sommet de la boîte, c'est que la fermeture est hermétique et que la sertisseuse fonctionne bien.

PETITS CONSEILS ESSENTIELS

Couteaux tranchants, de préférence inoxydables, passoire, bols, cuillers et tasses graduées, serviettes, assiettes.

PETITS USTENSILES UTILES

Lève-bocal, entonnoir à large col, équeutoir à fraises, chasse-noyau, petite brosse, panier en fil de fer et coton à fromage (linge de toile fine).

BOCAUX DE VERRE

Il y a trois genres principaux de bocaux de verre:

Bocal à cercle vissé: avec couvercle de verre, rondelle de caoutchouc et cercle vissé en métal.

Bocal à pinces: avec couvercle de verre, rondelle de caoutchouc et pinces en métal.

Bocal scellé à vide (vacuum): avec couvercle de métal, bord enduit d'un composé de caoutchouc et cercle vissé de métal.

Grandeur des bocaux de verre

Petit (appelé «chopine»): capacité d'environ 2 tasses (1/2 l).

Moyen (appelé «pinte»): capacité d'environ 4 tasses (1 l).

Grand (appelé «demi-gallon»): capacité d'environ 8 tasses (2 l).

RONDELLES DE CAOUTCHOUC

Les rondelles de caoutchouc sont disponibles en deux largeurs. Achetez la rondelle de la bonne largeur: la rondelle la plus étroite pour les bocaux à cercle vissé et la plus large seulement pour les bocaux à pinces. Les boîtes de rondelles faites au Canada sont marquées des noms de bocaux auxquel elles sont destinées.

Préparez les bocaux de verre

Examinez attentivement chaque partie du bocal. Assurez-vous que le bocal n'est pas fêlé, que le bord du col et le couvercle ne sont pas ébréchés. Remplacez par des cercles de métal neufs ceux qui sont fendus, pliés, élargis ou rouillés. Assurez-vous que les pinces en métal sur le bocal à pinces se mettent en place d'un coup sec. Les couvercles de métal dont les bords intérieurs sont enduits d'un composé de caoutchouc ne doivent pas être utilisés une seconde fois. Lavez minutieusement les bocaux et les couvercles de verre dans de l'eau chaude savonneuse et rincez bien avec de l'eau claire et chaude. Pour empêcher les bocaux de craquer, réchauffez-les au four ou dans de l'eau chaude avant d'y verser des aliments chauds.

Si vous vous servez du four, placez les bocaux vides sur un des grils; recouvrez ceux qui ont des couvercles de verre. Chauffez jusqu'à 200 °F (93,3 °C), en vous servant du feu du bas seulement. Sortez-les du four au fur et à mesure pour les remplir et mettez-les sur un linge sec, du papier ou une claie. Ne réchauffez pas au four les couvercles de métal enduits d'un composé de caoutchouc car vous pourriez les endommager.

Si vous vous servez d'eau chaude, remplissez chaque bocal d'eau et placez-le sur une claie dans une grande marmite ou une bouilloire contenant suffisamment d'eau pour que les bocaux y baignent à moitié. Recouvrez les bocaux à couvercle de verre. Amenez au point d'ébullition et laissez dans l'eau jusqu'au moment de remplir.

Plongez dans l'eau bouillante les rondelles de caoutchouc et les couvercles de métal avant de les placer sur les bocaux.

BOÎTES MÉTALLIQUES

Il se vend trois sortes de boîtes métalliques pour la mise en conserve domestique: la boîte de fer-blanc ordinaire, la boîte émaillée «R» ou régulière et la boîte émaillée «C». **Il est très important d'employer les boîtes tel qu'indiqué ici pour chaque produit afin de conserver à chacun sa couleur et sa saveur.**

Boîte de fer-blanc ordinaire: À usage général, convient bien pour toutes les conserves de fruits et légumes, sauf les fruits rouges et les betteraves. Ce sont **les seules** à recommander pour **les tomates** et le **jus de tomate**.

Boîte émaillée «R» ou régulière: Avec doublure brillante ou rougeâtre. Pour les petits fruits rouges tels que les baies, les prunes rouges ou bleues, les cerises rouges ou noires, la rhubarbe, les betteraves.

Boîte émaillée «C»: Avec doublure jaune terne pour le maïs seulement. Bien que cette doublure spéciale prévienne la décoloration du maïs, vous pouvez aussi utiliser la boîte de fer-blanc ordinaire pour ce légume.

Couvercles de boîtes ordinaires, émaillés «R» ou réguliers et émaillés «C»: Ils correspondent aux trois types de boîtes métalliques. Le bord intérieur est enduit d'un composé de caoutchouc.

Grandeurs des boîtes métalliques

28 oz (796 ml): environ 3 1/2 tasses (1,5 l)
19 oz (525 ml): environ 2 1/2 tasses (6 dl)
Les boîtes métalliques «C» sont de 20 oz (6 dl) seulement.

Préparation des boîtes métalliques

Assurez-vous que le bord de la boîte est lisse et en bon état. N'employez pas des boîtes qui ont des coches trop prononcées.

Lavez les boîtes et les couvercles à fond dans de l'eau savonneuse, rincez-les à l'eau bouillante, retournez-les pour les égoutter.

Marche à suivre

TRIAGE

Triez les fruits ou les légumes suivant leur grosseur et leur maturité. En général, les fruits et les tomates doivent être assez mûrs et les légumes pas trop mûrs, mais tous doivent être sains, exempts de meurtrissures et de taches. La partie saine du produit endommagé peut être utilisée ou transformée en confiture ou en jus.

LAVAGE

Les fruits et les légumes doivent être bien lavés. Ne lavez qu'une petite quantité à la fois. Pour enlever le sable, soulevez les fruits et les légumes hors de l'eau plutôt que de la faire égoutter; un panier en fil de fer est excellent pour cela. Les légumes verts doivent être lavés dans plusieurs eaux. Lavez les fraises avant de les équeuter.

BLANCHIMENT

Le blanchiment consiste à laisser les pêches ou les tomates dans de l'eau bouillante, de 15 à 60 secondes, suivant leur maturité et leur variété, puis à les plonger immédiatement dans de l'eau froide. Les pêches et les tomates devraient être retirées de l'eau dès qu'elles sont assez refroidies pour être manipulées. Le blanchiment dégage la peau qui s'enlève alors aisément. Ne blanchissez en une fois que juste assez de fruits pour deux ou trois bocaux. Un panier en fil de fer ou une grande passoire facilite le blanchiment.

ÉPLUCHAGE

Enlevez une couche aussi mince que possible des fruits et des légumes qu'il faut peler ou gratter au couteau.

BAIN DE SAUMURE

Pour prévenir la décoloration, plongez, dès qu'elles sont pelées, les pêches, les poires et les pommes dans une saumure faite de 1 c. à thé (1 c. à café) de sel par pinte (1 L) d'eau froide. Mettez-y juste les fruits qui rempliront deux ou trois bocaux afin qu'ils n'aient pas le temps de prendre un goût salé. Renouvelez la saumure dès qu'elle se décolore. Égouttez parfaitement les fruits avant de les mettre en bocal.

PROCÉDÉS

Les deux procédés le plus souvent employés sont le procédé à chaud et le procédé à froid.

À froid

Le procédé à froid ne s'emploie que pour les fruits, dont les tomates. Remplissez vos récipients du produit cru et froid. Recouvrez complètement de sirop chaud dans le cas des fruits, de jus de tomate chaud dans le cas des tomates.

À chaud

Tous les légumes et les jus doivent être mis en conserve à chaud. Certains fruits, dont les tomates, peuvent aussi être mis en conserve par ce procédé. S'il s'agit de légumes, faites-les d'abord cuire partiellement à couvert dans de l'eau. Remplissez les contenants et recouvrez du liquide de cuisson ou d'eau fraîchement bouillie. Ajoutez 1/2 c. à thé (1/2 c. à café) de sel dans chaque bocal d'une chopine (environ 1/2 l) ou boîte de 20 oz (6 dl) et 1 c. à thé (1 c. à café) dans chaque bocal d'une pinte (environ 1 l) ou boîte de 28 oz (1,5 l).

S'il s'agit de fruits, faites-les mijoter quelque temps avec le sirop dans une grande marmite, puis versez-les chauds dans les récipients en les recouvrant de sirop chaud, en y ajoutant d'autre sirop si c'est nécessaire. Ne faites mijoter à la fois que suffisamment de fruits pour trois ou quatre récipients, autrement les fruits cuiraient inégalement. Les tomates et les jus doivent simplement être amenés au point d'ébullition et versés chauds dans les récipients. Dans le cas des tomates, salez.

REMPLISSAGE

Pour empêcher les bocaux chauds et vides d'éclater, placez-les sur une claie, un linge sec ou du papier plié. **Remplissez-les sans tarder** de fruits ou de légumes jusqu'à 1 po (2,5 cm) au moins du bord, puis ajoutez le liquide en laissant l'espace libre nécessaire.

L'espace libre, ou espace de tête, est le vide qui reste entre le liquide et le bord du contenant. Cet espace empêche le liquide de fuir et les boîtes de fer-blanc de bomber.

Remplissez les bocaux de verre de liquide jusqu'à 1/2 po (1,2 cm) du bord, sauf dans le cas du maïs et des pois qui se dilatent plus que les autres aliments et demandent 1 po (2,5 cm) d'espace de tête.

Remplissez les boîtes de fer-blanc en laissant 1/2 po (1,2 cm) pour le maïs et les pois et 1/4 po (1/2 cm) pour les autres légumes.

Après le remplissage, faites sortir les bulles d'air soit en promenant la lame d'un couteau de haut en bas à l'intérieur du récipient, soit, dans le cas de gros fruits, en inclinant les récipients de côté et d'autre pour permettre au liquide de remplir tout l'espace et aux bulles d'air de s'échapper. **Ne remplissez pas plus de récipients à la fois que votre bain d'eau bouillante n'en peut contenir.**

FERMETURE DES RÉCIPIENTS

Une fois les récipients remplis, assurez-vous qu'aucune particule d'aliment n'adhère au rebord et bouchez de la façon suivante:

Bocaux à cercle vissé: Ajustez la rondelle de caoutchouc mouillée sur le couvercle ou sur le bocal en vous assurant qu'elle est à plat, puis mettez le couvercle en place. Bouchez partiellement en vissant serré le cercle de métal, puis dévissez un peu, pas plus de 1/2 po (1,2 cm).

Bocaux à pinces: Ajustez la rondelle de caoutchouc mouillée en vous assurant qu'elle est bien à plat, puis mettez le couvercle en place. Bouchez partiellement en poussant la pince la plus longue dans la rainure du couvercle mais ne rabattez pas la plus courte.

Bocaux scellés à vide (vacuum): Plongez le couvercle dans l'eau bouillante, mettez-le en place, puis vissez le cercle de métal aussi serré que possible.

Boîtes de fer-blanc: Placez le couvercle sur le dessus de la boîte, puis bouchez avec la sertisseuse en suivant les instructions du fabricant.

STÉRILISATION

La stérilisation consiste à cuire les aliments dans les récipients afin de les conserver en vue de leur utilisation subséquente. Chaque particule du produit doit être amenée à une température suffisamment haute pendant un temps assez long pour détruire les bactéries, levures ou moisissures qui pourraient gâter le contenu.

Tenez le stérilisateur prêt afin que les récipients puissent y être déposés tout de suite après la fermeture. **Stérilisez immédiatement et pendant toute la durée recommandée selon le produit**.

Au cuiseur sous pression

1. Versez suffisamment d'eau dans le cuiseur: s'il doit être rempli à capacité, une épaisseur de 2 po (5 cm) d'eau est nécessaire, avant l'immersion des bocaux; s'il ne doit pas être rempli à capacité, 2 tasses (1/2 l) supplémentaires d'eau doivent être ajoutées pour chaque bocal omis. Cette eau empêche le liquide d'être soutiré des bocaux.

2. Placez les récipients remplis sur le support dans le cuiseur à 1 po (2,5 cm) environ d'écartement. Les boîtes de fer-blanc peuvent être empilées si elles sont disposées de façon à permettre une bonne circulation de vapeur tout autour, par-dessus et par-dessous.

3. Ajustez le couvercle du cuiseur et fermez-le bien. Ouvrez le robinet et laissez-le ouvert jusqu'à ce que la vapeur s'échappe, alors que vous entendez un sifflement bien distinct. Cela prend de 5 à 10 minutes.

4. Laissez fuir l'air pendant encore 10 minutes puis fermez le robinet et laissez la pression s'élever lentement jusqu'à ce que l'indicateur enregistre la pression requise. Commencez à compter le temps de la stérilisation à partir de ce moment. Réglez la chaleur pour conserver une pression uniforme car si la pression varie il sortira du liquide des récipients.

5. Stérilisez pendant le temps requis.

6. La stérilisation terminée, enlevez le cuiseur du feu et placez-le sur un treillis ou une planche. Laissez tomber la pression d'elle-même graduellement à zéro. Un refroidissement spontané peut causer une fuite de liquide des récipients.

7. Lorsque l'indicateur est à zéro, laissez reposer de 1 à 2 minutes, ensuite ouvrez lentement le robinet et laissez refroidir pendant 2 à 3 minutes avant d'enlever le couvercle.

8. Enlevez le couvercle de façon que la vapeur ne soit pas dirigée directement sur le visage. Couvrez immédiatement le cuiseur ouvert avec un linge et laissez reposer 1 ou 2 minutes.

9. Découvrez.

10. **Conserves en bocaux de verre**: Ne les sortez pas du cuiseur avant que l'ébullition ne cesse dans les bocaux.

11. **Conserves en boîtes de fer-blanc**: Ouvrez le robinet du cuiseur dès que l'indicateur enregistre zéro; enlevez les boîtes immédiatement et refroidissez.

À l'eau bouillante

Comptez le temps de stérilisation à partir du moment où l'eau du bain d'eau bouillante bout vigoureusement.

1. Placez la bouilloire employée pour la stérilisation à moitié remplie d'eau sur le poêle. Afin d'empêcher les bocaux d'éclater, amenez l'eau à la température voisine de celle des bocaux remplis. Placez les bocaux remplis sur la claie à 1 po (2,5 cm) l'un de l'autre. Vous pouvez empiler les boîtes, pourvu que vous laissiez suffisamment d'espace pour que l'eau circule tout autour, par-dessus et par-dessous.

2. Ajoutez de l'eau bouillante pour couvrir d'au moins 2 po (5 cm) tous les bocaux et boîtes. Ne versez pas l'eau bouillante directement sur les bocaux car ils pourraient éclater.

3. Recouvrez la bouilloire de son couvercle. Amenez l'eau au point d'ébullition; commencez à compter la durée de stérilisation à partir du moment où l'eau bout vigoureusement et non lorsque les premières bulles sortent. L'eau doit bouillir à gros bouillons pendant **toute** la durée de la stérilisation indiquée. Ajoutez de l'eau bouillante si cela est nécessaire pour maintenir à 2 po (5 cm) la couche d'eau qui recouvre les bocaux. Stérilisez pendant le temps requis pour les fruits. Sortez immédiatement les bocaux ou les boîtes du bain d'eau bouillante pour prévenir l'excès de cuisson.

SCELLAGE DES BOCAUX

1. Une fois les bocaux de verre sortis du stérilisateur, posez-les sur une claie, un linge sec replié ou des journaux. N'exposez pas les bocaux chauds aux courants d'air et ne les mettez pas sur des surfaces de métal ou de porcelaine car ils pourraient se fendre.

2. Dès que le bouillonnement a cessé dans les bocaux, scellez en suivant les directives ci-dessous:

Bocaux à cercle vissé: Serrez le cercle de métal sans toutefois étirer la bande de caoutchouc au point de la déformer.

Bocaux à pinces: Rabattez en position la pince la plus courte.

Bocaux scellés à vide (vacuum): Ne resserrez pas puisque l'herméticité se fait à mesure que le bocal refroidit. Tout resserrement pourrait détruire le scellage. Ne pas renverser un bocal vacuum.

N'ouvrez jamais un bocal après la stérilisation. Parfois le contenu d'un bocal se tasse pendant la stérilisation et un espace se forme au sommet. Cet espace ne nuira pas à la qualité du produit. En ouvrant le bocal pour couvrir le vide, vous exposeriez le contenu aux organismes qui pourraient le gâter.

REFROIDISSEMENT DES CONSERVES

Bocaux de verre

1. Laissez les bocaux debout pendant le refroidissement. Ne les renversez pas, de peur de détruire l'herméticité.
2. Laissez refroidir à l'abri des courants d'air et sans les recouvrir. Un courant d'air froid pourrait les faire éclater; les couvrir retarderait le refroidissement.
3. Ne serrez ou n'enlevez jamais le cercle après qu'un bocal à couvercle vissé ait refroidi. La fermeture pourrait se rompre.

Boîtes de fer-blanc

Placez les boîtes de fer-blanc dans l'eau froide immédiatement à leur sortie du stérilisateur. Gardez l'eau froide en la changeant ou en plaçant les boîtes sous l'eau courante et en les retournant délicatement afin que le centre ait la chance de refroidir. Laissez les boîtes dans l'eau jusqu'à complet refroidissement.

Épreuve de l'herméticité de la fermeture

Bocaux à cercle vissé et à pinces: Après le refroidissement, renversez chaque bocal pendant 1 minute ou 2 pour voir s'il n'y a pas de fuites.

Bocaux scellés à vide (vacuum): Après le refroidissement, tapotez doucement le couvercle avec une cuiller. Si le métal rend un son clair et si le couvercle est un peu rentré vers l'intérieur, les bocaux sont bien bouchés. Il n'est pas nécessaire de renverser un bocal vacuum.

Si un bocal coule, utilisez le contenu immédiatement. Stérilisez à nouveau n'est pas à conseiller car le produit serait trop cuit.

Étiquetage et emmagasinage des conserves

1. Avant d'emmagasiner les conserves, essuyez les contenants avec un linge humide, puis asséchez-les parfaitement.
2. Étiquetez les bocaux de verre au moyen d'un crayon de cire ou d'un papier gommé si vous le voulez, mais ne manquez pas d'étiqueter les boîtes de fer-blanc. Utilisez un crayon de cire ou entourez la boîte d'un bout de papier que vous fixerez avec un collant. Vous pouvez aussi marquer la boîte au moyen d'un bâtonnet pointu trempé dans une solution de vitriol bleu (sulfate de cuivre). Vous pouvez faire préparer une solution par un pharmacien, à 10 p. 100 de sulfate de cuivre, 10 p. 100 d'acide et 80 p. 100 d'eau.
3. Après une semaine, examinez chaque conserve. Si les boîtes coulent ou sont bombées, c'est un signe de décomposition.
4. Remisez les bocaux dans un endroit frais, sombre et sec. La chaleur et la lumière altèrent la couleur et, jusqu'à un certain point, la saveur des aliments. L'entrepôt devra donc être frais sans toutefois être froid à geler. Si l'endroit est trop éclairé, enveloppez les bocaux séparément avec du papier journal ou placez-les dans des boîtes.

La congélation peut changer l'apparence et la texture des conserves de fruits et de légumes mais ces conserves gelées, une fois décongelées dans les contenants, peuvent être consommées sans danger tant qu'il n'y a pas de signe de fuite ou de décomposition.

Si les boîtes de fer-blanc sont placées dans un endroit humide, l'extérieur des boîtes peut rouiller. Il n'y a aucun danger, cependant, à utiliser le produit des boîtes rouillées pourvu qu'il n'y ait pas de signe de fuite.

Dès qu'un bocal est vide, lavez-le et **asséchez-le parfaitement**. Remisez-le pour vous en servir plus tard.

Emploi de produits chimiques et de composés commerciaux

L'emploi de contenants bouchant hermétiquement et une stérilisation complète sont les deux principaux facteurs de conservation. L'acide ascorbique peut parfois être utilisé pour prévenir la décoloration des fruits à couleur pâle. On interdit l'emploi d'ingrédients chimiques comme l'acide borique, l'acide salicylique et la saccharine dans les conserves commerciales car ils peuvent être nuisibles. Quant aux compositions de soufre, l'emploi commercial en est restreint.

Les bouillons, les consommés, les potages et les soupes

BOUILLON DE BOEUF

INGRÉDIENTS

8 lb (3, 5 kg) de boeuf (flanc, cou et os)
8 pintes (9 l) d'eau froide
1 bouquet garni (voir page 34)
2 c. à table (2 c. à soupe) de gros sel

PRÉPARATION

1. Essuyez la viande.
2. Coupez en gros morceaux.
3. Déposez dans une grande marmite.
4. Ajoutez l'eau froide, le bouquet garni et le sel.
5. Portez doucement à ébullition.
6. Écumez au fur et à mesure que l'albumine monte à la surface (on aura de cette façon un bouillon limpide).
7. Faites mijoter 3 heures.
8. Coulez le bouillon.
9. Refroidissez.
10. Dégraissez.
11. Clarifiez (facultatif).
12. Stérilisez pendant 40 à 45 minutes sous 10 lb (70 kPa) de pression.

Utilisez la viande une seconde fois pour faire du bouillon pour la famille.

BOUILLON DE POULET

INGRÉDIENTS

  6 poulets
12 pintes (13,5 l) d'eau
  1 bouquet garni (voir page 34)
1/4 tasse (28 g) de gros sel

PRÉPARATION

1. Nettoyez les poulets.
2. Enlevez les filets.
3. Mettez les ailes, les pattes, les abats et les carcasses dans une grande marmite.
4. Ajoutez l'eau froide, le bouquet garni et le sel.
5. Amenez doucement à ébullition.
6. Écumez.
7. Faites mijoter 3 heures.
8. Déposez les poitrines de poulet dans un panier métallique ou dans un coton à fromage.
9. Faites cuire 20 minutes dans le bouillon. Mettez de côté.
10. Coulez le liquide. Remplissez jusqu'à 1/4 po (1/2 cm) du bord des bocaux ou des boîtes de fer-blanc.
11. Fermez les récipients.
12. Stérilisez pendant 40 à 45 minutes sous 10 lb (70 kPa) de pression *.

  * 90 minutes de stérilisation si on utilise la technique du bain d'eau bouillante (voir note page 13).

BOUILLON DE TOMATES

INGRÉDIENTS

3 pintes (2 kg) de tomates coupées en morceaux
4 tasses (1 l) d'eau
4 tasses (1 l) de bouillon de poulet
1 gros oignon émincé
1 tasse (1 tasse à thé) de feuilles de céleri
1 c. à table (1 c. à soupe) de gros sel
1/2 c. à thé (1/2 c. à café) de poivre
Acide citrique ou jus de citron reconstitué en quantité suffisante

PRÉPARATION

1. Lavez les tomates, blanchissez-les 2 minutes, rafraîchissez-les et coupez-les en morceaux.
2. Ajoutez l'eau, le bouillon et tous les autres ingrédients.
3. Faites bouillir 30 minutes.
4. Passez au tamis et puis au mélangeur.
5. Remplissez de ce bouillon les bocaux ou les boîtes stérilisés en laissant un espace libre de 1/2 po (1 cm) en haut du bocal.
6. Ajoutez 1 ml d'acide citrique ou 1 c. à table (15 ml) de jus de citron pour chaque 2 tasses (500 ml) de bouillon.
7. Stérilisez pendant 20 à 30 minutes sous 10 lb (70 kPa) de pression *.
8. Refroidissez.

Servez chaud ou froid avec des tranches de citron.

* 30 minutes de stérilisation si on utilise la technique du bain d'eau bouillante (voir note page 13).

CONCENTRÉ AUX TOMATES

INGRÉDIENTS

  3 douzaines de tomates mûres
  4 tasses (1 l) d'eau
  4 oignons
  2 branches de céleri
  2 piments verts
  2 c. à table (2 c. à soupe) de gros sel
1/4 tasse (60 g) de sucre
 10 grains de poivre
  1 feuille de laurier
 10 clous de girofle
1/2 c. à thé (1/2 c. à café) d'origan
Acide citrique ou jus de citron reconstitué en quantité suffisante

PRÉPARATION

1. Déposez les tomates, par petites quantités à la fois, dans un panier métallique.
2. Blanchissez 15 à 60 secondes dans de l'eau bouillante.
3. Plongez-les immédiatement dans de l'eau froide.
4. Enlevez la pelure et les parties vertes.
5. Ajoutez l'eau, les autres légumes coupés en morceaux, le sel, le sucre, puis les grains de poivre, la feuille de laurier, les clous de girofle et l'origan enveloppés dans un coton à fromage.
6. Faites bouillir 30 minutes.
7. Enlevez les épices.
8. Passez à travers un tamis puis dans le mélangeur.
9. Remplissez les récipients jusqu'à 1/4 po (1/2 cm) du bord. Ajoutez 1 ml d'acide citrique ou 1 c. à table (15 ml) de jus de citron reconstitué pour 2 tasses (500 ml) de concentré.
10. Fermez.
11. Stérilisez 40 à 45 minutes dans un bain d'eau bouillante ou 10 minutes sous 10 lb (70 kPa) de pression.

Ce concentré est surtout utilisé pour faire le potage aux tomates.

CONSOMMÉ

INGRÉDIENTS

- 3 lb (1,5 kg) de boeuf coupé en cubes
- 3 lb (1,5 kg) de jarret de veau coupé en morceaux
- 2 lb (1 kg) d'abats de volaille: cous, ailes, coeurs et foies
- 8 pintes (9 l) d'eau froide
- 1 bouquet garni (voir page 34)
- 2 c. à table (2 c. à soupe) de gros sel

PRÉPARATION

1. Essuyez les viandes.
2. Faites brunir le boeuf dans un peu de gras.
3. Ajoutez le jarret de veau, les abats de volaille, l'eau froide, le bouquet garni et le sel.
4. Opérez ensuite comme pour le bouillon de boeuf.
5. Ajoutez, après la clarification, du «caramel brûlé» pour donner la couleur classique au consommé.
6. Versez dans des récipients stérilisés.
7. Faites stériliser le consommé 40 à 45 minutes sous 10 lb (70 kPa) de pression.

Pour servir: diluez avec la même quantité d'eau. Chauffez. Vérifiez l'assaisonnement.

Le consommé est un bouillon fait de 3 variétés de viande: il faut faire réduire de moitié la quantité de liquide.

BOUQUET GARNI

INGRÉDIENTS
- 2 branches de céleri
- 2 carottes
- 2 oignons piqués de 4 clous de girofle
- 2 tiges de persil
- 1 feuille de laurier
- 3 grains de poivre
- 4 brins de thym
- 1 gousse d'ail (facultatif)

Le bouquet garni donne un goût exquis aux bouillons, aux soupes et aux potages; il est employé couramment par toute bonne maîtresse de maison.

SUCRE BRÛLÉ (CARAMEL)

INGRÉDIENTS
- 1 tasse (200 g) de sucre granulé
- 1 tasse (1/4 l) d'eau chaude

PRÉPARATION
1. Faites brûler le sucre dans une poêle en fonte.
2. Ajoutez l'eau chaude.
3. Faites bouillir jusqu'à ce que le sucre soit dissous.

Gardez ce qui reste dans un bocal de verre fermant bien pour vous en servir au besoin.

CONSOMMÉ AU VERMICELLE

INGRÉDIENTS

2 bocaux ou boîtes de consommé
1/2 tasse (25 g) de vermicelle fin (cheveux d'ange)

PRÉPARATION

1. Versez le consommé dans une casserole émaillée.
2. Portez à ébullition.
3. Vérifiez l'assaisonnement.
4. Ajoutez le vermicelle fin.
5. Laissez mijoter 8 minutes.

Servez dans des tasses à bouillon.

CONSOMMÉ AU SHERRY

INGRÉDIENTS

2 bocaux ou 2 boîtes de consommé
1 tasse (1/4 l) de sherry

PRÉPARATION

1. Versez le consommé dans une casserole en fonte émaillée.
2. Faites bouillir 2 minutes.
3. Ajoutez le sherry.
4. Chauffez sans faire bouillir.

Servez dans des tasses à bouillon.

CONSOMMÉ EN TASSE

INGRÉDIENTS

2 bocaux ou 2 boîtes de consommé
1 c. à table (1 c. à soupe) de persil haché

PRÉPARATION

1. Ouvrez les contenants de consommé.
2. Versez-les dans une casserole émaillée.
3. Faites bouillir 2 minutes.

Servez dans des tasses à bouillon. Saupoudrez de persil haché.

POTAGE À LA CITROUILLE

INGRÉDIENTS

1/2 tasse (25 g) de beurre ou d'une autre matière grasse
2 gros oignons émincés
3 pintes (3,5 l) d'eau
3 pintes (900 g) de citrouille coupée en cubes
2 c. à table (30 g) de sucre
8 tomates fraîches coupées en morceaux
2 c. à table (2 c. à soupe) de gros sel
1/2 c. à thé (1/2 c. à café) de thym
Acide citrique ou jus de citron reconstitué en quantité suffisante

PRÉPARATION

1. Chauffez la matière grasse, faites revenir les oignons sans faire brunir.
2. Ajoutez l'eau, la citrouille, les tomates, le sucre, le sel et le thym.
3. Faites bouillir 30 minutes.
4. Versez cette préparation dans les contenants. Ajouter 1 ml d'acide citrique ou 1 c. à table (15 ml) de jus de citron reconstitué pour chaque 2 tasses (500 ml) de potage.
5. Faites stériliser 90 minutes sous 10 lb (70 kPa) de pression *.
6. Ne réduisez cette préparation en purée qu'au moment de servir.

Pour servir: chauffez dans une casserole émaillée le contenu d'un récipient de purée de citrouille. Ajoutez en remuant 3 tasses (3/4 l) de lait chaud.

* 90 minutes de stérilisation si on utilise la technique du bain d'eau bouillante (voir note page 13).

CLARIFICATION DU BOUILLON

INGRÉDIENTS

  7 **pintes (8 l) de bouillon**
  4 **blancs d'oeufs**
  4 **coquilles d'oeufs**
1/2 **tasse (1 dl) d'eau froide**

PRÉPARATION

1. Mettez le bouillon dégraissé dans une casserole.
2. Vérifiez l'assaisonnement avant et non après la clarification.
3. Ajoutez les blancs d'oeufs battus avec l'eau froide, ainsi que les coquilles écrasées, et remuez.
4. Amenez le liquide à ébullition.
5. Couvrez.
6. Laissez mijoter 15 minutes.
7. Passez à travers un tamis fin recouvert d'une double épaisseur de coton à fromage.
8. Versez ce bouillon dans des bocaux de verre de 16 oz (1/2 l) ou dans des boîtes en fer-blanc de 20 oz (6 dl).
9. Faites stériliser 40 à 45 minutes sous 10 lb (70 kPa) de pression*.

Refroidissez les boîtes en fer-blanc dans l'eau froide; les bocaux de verre sont retirés, fermés hermétiquement; déposez-les sur une table recouverte d'un linge sec, à l'abri des courants d'air.

* 90 minutes de stérilisation si on utilise la technique du bain d'eau bouillante (voir note page 13).

POTAGE AUX CAROTTES (CRÉCY)

INGRÉDIENTS

- **3 c. à table (45 g) de beurre ou d'une autre matière grasse**
- **2 oignons émincés**
- **3 c. à table (27 g) de farine**
- **4 pintes (4,5 l) de bouillon de poulet ou de boeuf**
- **3 pintes (900 g) de carottes coupées en cubes**
- **1 c. à table (15 g) de sucre**
- **2 c. à table (2 c. à soupe) de gros sel**

PRÉPARATION

1. Chauffez la matière grasse dans une casserole épaisse, faites revenir les oignons émincés sans faire brunir.
2. Ajoutez la farine en remuant, puis le bouillon, le sucre, le sel et les carottes coupées en cubes.
3. Faites mijoter 30 minutes.
4. Passez à travers un tamis ou au mélangeur.
5. Versez cette purée dans les contenants jusqu'à 1/2 po (1 cm) du bord.
6. Faites stériliser 40 à 45 minutes sous 10 lb (70 kPa) de pression*.

Pour servir: chauffez dans une marmite le contenu de 2 contenants de purée aux carottes, ajoutez en brassant 3 tasses (3/4 l) de lait et 1/2 tasse (125 ml) de crème à 15 p. 100. Portez à ébullition.

* 90 minutes de stérilisation si on utilise la technique du bain d'eau bouillante (voir page 13).

POTAGE AU CÉLERI

INGRÉDIENTS

    2 oignons émincés
    3 tasses (400 g) de céleri coupé en dés
    4 tasses (1 l) de bouillon de poulet
1/4 tasse (50 g) de tapioca à cuisson rapide
    2 c. à thé (2 c. à café) de sel
    3 c. à table (45 g) de beurre

PRÉPARATION

1. Chauffez le bouillon de poulet.
2. Ajoutez les oignons et le céleri.
3. Faites mijoter 20 minutes.
4. Retirer du feu.
5. Ajoutez le tapioca en pluie et laisser reposer 10 minutes.
6. Ramenez à ébullition et faites mijoter quelques minutes.
7. Ajoutez le beurre.
8. Brassez pour faire fondre.
9. Remplissez les contenants stérilisés jusqu'à 1 po (2,5 cm) du bord.
10. Stérilisez pendant 40 minutes sous 10 lb (70 kPa) de pression*.
11. Retirez.
12. Refroidissez.

Pour servir: chauffez au point d'ébullition avec une égale quantité de lait. Vous pouvez doubler ou tripler les quantités d'ingrédients données dans cette recette.

* 120 minutes de stérilisation si on utilise la technique du bain d'eau bouillante (voir note page 13).

POTAGE AU CHOU-FLEUR

INGRÉDIENTS

4 tasses (400 g) de chou-fleur haché
4 oignons émincés
4 tasses (1 l) d'eau bouillante
2 c. à thé (2 c. à café) de sel
1/4 tasse (60 g) de beurre
1/4 tasse (36 g) de farine tout usage

PRÉPARATION

1. Faites cuire le chou-fleur et les oignons pendant 10 minutes dans l'eau bouillante salée.
2. Faites fondre le beurre.
3. Ajoutez la farine, faites cuire.
4. Faites cuire en remuant avec une cuillère de bois jusqu'à ce que la préparation épaississe et commence à bouillir.
5. Retirez du feu.
6. Remplissez les contenants stérilisés jusqu'à 1 po (2,5 cm) du bord.
7. Stérilisez 70 minutes sous 10 lb (70 kPa) de pression *.
8. Retirez.
9. Refroidissez.

Pour servir: chauffez au point d'ébullition avec une même quantité de lait.

* 90 minutes de stérilisation si on utilise le bain d'eau bouillante (voir note page 13).

POTAGE AU POISSON

INGRÉDIENTS

  2 **oignons émincés**
  2 **carottes coupées en cubes**
  1 **tasse (150 g) de céleri coupé en dés**
  2 **tasses (1/2 l) d'eau bouillante**
  2 **c. à thé (2 c. à café) de sel**
1/8 **c. à thé (1/8 c. à café) de poivre**
  1 **lb (500 g) de poisson à chair blanche (au choix)**

PRÉPARATION

1. Faites revenir les légumes dans le beurre pendant 5 minutes.
2. Ajoutez l'eau bouillante, le sel et le poivre.
3. Faites cuire, à couvert, pendant 25 minutes.
4. Coupez le poisson en morceaux.
5. Enlevez les arêtes.
6. Ajoutez à la préparation bouillante.
7. Chauffez de nouveau jusqu'au point d'ébullition.
8. Retirer du feu.
9. Remplissez les contenants jusqu'à 1/2 po (1 cm) du bord.
10. Stérilisez 20 minutes sous 10 lb (70 kPa) de pression *.
11. Retirez.
12. Refroidissez.

Pour servir: chauffez jusqu'au point d'ébullition avec une même quantité de lait. Saupoudrez de persil. On peut doubler ou tripler les ingrédients de ce potage.

* 180 minutes de stérilisation si on utilise la technique du bain d'eau bouillante (voir note page 13).

POTAGE AUX TOMATES

INGRÉDIENTS

1 **bocal ou 1 boîte de concentré aux tomates**
3 **c. à table (45 g) de beurre**
3 **c. à table (27 g) de farine**
6 **tasses (1,5 l) de lait**
Sel et poivre

PRÉPARATION

1. Ouvrez un contenant de concentré aux tomates.
2. Versez dans une cocotte en fonte émaillée.
3. Faites bouillir 3 minutes.
4. Chauffez le beurre.
5. Ajoutez la farine en brassant, cuire sans faire brunir.
6. Ajoutez le lait.
7. Amenez à ébullition, laissez mijoter quelques minutes en brassant.
8. Incorporez le concentré aux tomates.
9. Vérifiez l'assaisonnement.
10. Tenez au chaud jusqu'au moment de servir.

SOUPE AU BROCOLI À L'ITALIENNE

INGRÉDIENTS

- 1 **bocal de bouillon de boeuf**
- 2 **tasses (1/2 l) d'eau bouillante**
- 2 **tiges de brocoli, avec bouquets**

PRÉPARATION

1. Versez le bouillon dans une marmite avec l'eau bouillante.
2. Faites mijoter 3 minutes.
3. Vérifiez l'assaisonnement.
4. Ajoutez les têtes et le tiges de brocoli, taillés en longs filets très minces.
5. Faites bouillir 15 minutes à feu vif.

POTAGE BRETON AUX HARICOTS BLANCS

INGRÉDIENTS

- 2 lb (900 g) de haricots blancs
- 2 c. à table (2 c. à soupe) de gros sel
- 2 oignons
- 2 poireaux
- 3 pintes (3,5 l) de bouillon de boeuf

PRÉPARATION

1. Lavez les haricots, faites-les tremper toute la nuit dans l'eau froide.
2. Le lendemain, cuisez-les 1 heure dans l'eau de trempage avec les oignons et les poireaux.
3. Ajoutez le bouillon et le sel. Passez ce potage au mélangeur, il sera plus digeste.
4. Remplissez jusqu'à 1 po (2 cm) du bord, les bocaux de verre ou les boîtes de fer-blanc.
5. Fermez.
6. Stérilisez 70 minutes sous 10 lb (70 kPa) de pression *.

Pour servir: ajoutez la même quantité de lait chaud que de purée. Vérifiez l'assaisonnement, amenez au point d'ébullition. Saupoudrez de persil haché.

* 120 minutes de stérilisation si on utilise la technique du bain d'eau bouillante (voir page 13).

SOUPE À L'OIGNON

INGRÉDIENTS

1/2 tasse (125 g) de beurre
3 c. à table (3 c. à soupe) d'huile végétale
2 lb (1 kg) d'oignons
1 c. à table (15 g) de sucre
1/3 tasse (50 g) de farine
3 pintes (3,5 l) de bouillon de poulet

PRÉPARATION

1. Chauffez le beurre et l'huile dans une casserole.
2. Ajoutez les oignons émincés.
3. Saupoudrez de sucre.
4. Faites dorer en brassant constamment (en évitant de laisser brûler, ce qui donne un goût âcre à la soupe).
5. Ajoutez la farine en remuant, puis le bouillon de poulet.
6. Laissez mijoter 10 minutes.
7. Versez la soupe dans des bocaux de verre ou des boîtes en fer-blanc.
8. Faites stériliser 40 minutes sous 10 lb (70 kPa) de pression *.
9. Refroidissez.

Pour servir: ajoutez la même quantité d'eau. Faites bouillir 3 minutes. Servez tel quel, ou versez la soupe dans un bol en terre cuite contenant une tranche de pain rôtie au four. Saupoudrez géné-reusement de fromage gruyère. Dorez au four sous la flamme.

* 90 minutes de stérilisation si on utilise la technique du bain d'eau bouillante (voir note page 13).

SOUPE À L'ORGE

INGRÉDIENTS

- **2 tasses (300 g) d'orge**
- **8 tasses (2 l) d'eau tiède**
- **3 pintes (3,5 l) de bouillon de boeuf**

PRÉPARATION

1. Déposez l'orge dans une casserole épaisse.
2. Ajoutez l'eau tiède.
3. Laissez tremper 1 heure.
4. Faites mijoter pendant 10 minutes.
5. Égouttez.
6. Ajoutez le bouillon de boeuf. Faites mijoter 15 minutes.
7. Ajoutez 1/2 tasse (125 ml) d'eau froide pendant l'ébullition.
8. Écumez (ceci est très important, c'est cette façon de faire qui établit la différence entre une soupe d'une belle couleur et une autre ayant une couleur grisâtre.
9. Déposez dans les contenants.
10. Stérilisez 40 minutes sous 10 lb (70 kPa) de pression *.

Pour servir: diluez avec la même quantité d'eau. Chauffez. Vérifiez l'assaisonnement.

  * 90 minutes de stérilisation si on utilise la technique du bain d'eau bouillante (voir note page 13).

SOUPE À LA SEMOULE

INGRÉDIENTS

- 1 bocal ou 1 boîte de bouillon de poulet en conserve
- 2 tasses (1/2 l) d'eau bouillante
- 2 c. à table (2 c. à soupe) de semoule de crème de blé
- 1 jaune d'oeuf
- 2 c. à table (2 c. à soupe) de ciboulette hachée

PRÉPARATION

1. Déposez le bouillon dans une marmite avec l'eau bouillante.
2. Faites bouillir 3 minutes.
3. Ajoutez la semoule en pluie.
4. Laissez mijoter 10 minutes.
5. Vérifiez l'assaisonnement.
6. Mettez 1 jaune d'oeuf dans une soupière, ajoutez graduellement le bouillon.
7. Parsemez de ciboulette hachée.

SOUPE AUX PÂTES ALIMENTAIRES

INGRÉDIENTS

- 1 boîte de bouillon de poulet
- 2 tasses (1/2 l) d'eau bouillante
- 1/3 tasse (60 g) de pâtes alimentaires (alphabet)
- 2 c. à table (2 c. à soupe) de persil haché

PRÉPARATION

1. Versez le bouillon dans une marmite avec l'eau bouillante.
2. Portez à ébullition.
3. Ajoutez les pâtes alimentaires.
4. Laissez bouillir 15 minutes.
5. Saupoudrez de persil haché.

Servez.

SOUPE AUX LÉGUMES

INGRÉDIENTS

4 **tasses (600 g) de carottes**
1 **tasse (150 g) de navet**
1 **tasse (150 g) de céleri**
2 **poireaux**
2 **panais**
3 **pintes (3,5 l) de bouillon de boeuf**

PRÉPARATION

1. Déposez tous les légumes coupés en fines juliennes dans un panier métallique.
2. Faites blanchir 3 minutes dans de l'eau bouillante.
3. Refroidissez.
4. Mettez 1/2 tasse (75 g) de légumes blanchis dans les bocaux de verre ou dans les boîtes en fer-blanc.
5. Finissez de remplir les récipients jusqu'à 1/2 po (1 cm) du bord, avec du bouillon de boeuf.
6. Fermez.
7. Stérilisez 70 minutes sous 10 lb (70 kPa) de pression *.

Pour servir: diluez avec la même quantité d'eau. Chauffez. Vérifiez l'assaisonnement.

* 90 minutes de stérilisation si on utilise la technique du bain d'eau bouillante (voir note page 13).

49

SOUPE AUX NOUILLES

INGRÉDIENTS

1 bocal ou 1 boîte de bouillon de poulet
2 tasses (1/2 l) d'eau bouillante
1/2 tasse (50 g) de nouilles aux oeufs
1/2 tasse (50 g) de blanc de poulet coupé en menus morceaux
1 c. à table (1 c. à soupe) de fécule de pommes de terre
1/4 tasse (1/2 dl) d'eau froide

PRÉPARATION

1. Déposez le bouillon dans une marmite avec l'eau bouillante.
2. Portez à ébullition.
3. Ajoutez les nouilles aux oeufs.
4. Laissez cuire 15 minutes.
5. Vérifiez l'assaisonnement.
6. Ajoutez le blanc de poulet puis la fécule de pommes de terre délayée avec l'eau froide.
7. Faites bouillir 5 minutes.

Servez dans une soupière.

SOUPE AUX POIS À LA CANADIENNE

INGRÉDIENTS

   8 tasses (1,4 kg) de pois
   8 pintes (9 l) d'eau froide
   2 lb (900 g) de lard salé
   2 oignons hachés finement
   Sarriette

PRÉPARATION

1. Triez et lavez les pois, faites-les tremper toute la nuit dans 4 pintes (4,5 l) d'eau.
2. Mettez à cuire le lendemain en ajoutant le reste de l'eau; pendant la cuisson, ajoutez de l'eau si nécessaire.
3. Ajoutez le lard salé coupé en morceaux, les oignons et la sarriette.
4. Laissez mijoter 2 heures.
5. Enlevez le lard.
6. Remplissez jusqu'à 1 po (2,5 cm) du bord, les bocaux de verre ou les boîtes de fer-blanc.
7. Fermez.
8. Stérilisez 45 minutes sous 10 lb (70 kPa) de pression *.
9. Refroidissez.

Pour servir: versez le contenu du bocal ou de la boîte dans une casserole. Faites bouillir quelques minutes. Vérifiez l'assaisonnement. Saupoudrez de sarriette.

* 120 minutes de stérilisation si on utilise la technique du bain d'eau bouillante (voir note page 13).

SOUPE AU RIZ ET AU BOUILLON DE POULET

INGRÉDIENTS

2 pintes (2 l) d'eau bouillante
1 c. à table (1 c. à soupe) de gros sel
1 tasse (200 g) de riz
3 pintes (3,5 l) de bouillon de poulet

PRÉPARATION

1. Faites cuire le riz à l'eau bouillante salée pendant 10 minutes.
2. Passez-le à l'eau froide.
3. Mettez 1/3 tasse (6 c. à soupe) de riz à demi-cuit dans les bocaux de verre ou dans les boîtes en fer-blanc.
4. Finissez le remplissage des récipients jusqu'à 1 po (2,5 cm) du bord, avec du bouillon de poulet.
5. Fermez.
6. Stérilisez 40 à 45 minutes sous 10 lb (70 kPa) de pression *.
7. Refroidissez.

Pour servir: diluez avec la même quantité d'eau. Chauffez. Vérifiez l'assaisonnement.

* 90 minutes si on utilise la technique du bain d'eau bouillante (voir note page 13).

SOUPE AU VIN ROUGE

INGRÉDIENTS

1 bocal ou 1 boîte de bouillon
2 tasses (1/8 l) d'eau bouillante
1 boîte de jus de tomates de 28 oz (1,5 l)
1 c. à thé (1 c. à café) de sucre
1/4 c. à thé (1/4 c. à café) de marjolaine
1/4 tasse (29 g) de sagou
1/2 tasse (1/8 l) de vin rouge

PRÉPARATION

1. Ouvrez les contenants de bouillon de boeuf et de jus de tomates.
2. Ajoutez l'eau bouillante, le sucre et la marjolaine.
3. Portez à ébullition.
4. Ajoutez le sagou.
5. Faites cuire 10 minutes.
6. Ajoutez le vin sans faire bouillir.
7. Vérifiez l'assaisonnement.

Servez.

SOUPE ÉTOILÉE

INGRÉDIENTS

- 2 pintes (1,2 kg) de tomates coupées en gros morceaux
- 3 pintes (3,5 l) de bouillon de poulet
- 1 oignon émincé
- 6 clous de girofle
- 1/2 tasse (1/2 tasse à thé) de feuilles de céleri
- 1 tasse (100 g) de pâtes alimentaires de fantaisie, à demi-cuites (étoiles)

PRÉPARATION

1. Lavez les tomates, ébouillantez-les.
2. Enlevez la pelure, coupez-les en morceaux.
3. Ajoutez le bouillon, l'oignon, les clous de girofle et les feuilles de céleri.
4. Faites bouillir 30 minutes.
5. Passez au tamis.
6. Vérifiez l'assaisonnement.
7. Déposez 1/4 tasse (25 g) de pâtes alimentaires à demi-cuites dans les récipients servant à faire les conserves.
8. Remplissez de liquide coulé jusqu'à 1/2 po (1 cm) du bord.
9. Fermez.
10. Stérilisez 70 minutes sous 10 lb (70 kPa) de pression *.

Pour servir: diluez avec la même quantité d'eau. Chauffez. Vérifiez l'assaisonnement.

* 90 minutes de stérilisation si on utilise la technique du bain d'eau bouillante (voir note page 13).

SOUPE PERLÉE

INGRÉDIENTS

1 bocal de bouillon de boeuf
3 tasses (3/4 l) d'eau bouillante
1 poireau coupé en petits morceaux
2 c. à table (18 g) de tapioca fin
Persil haché

PRÉPARATION

1. Versez le bouillon dans une marmite avec l'eau bouillante.
2. Portez à ébullition.
3. Ajoutez le poireau coupé en menus morceaux.
4. Faites mijoter 10 minutes puis ajouter en pluie le tapioca fin.
5. Continuez la cuisson jusqu'à ce que le tapioca devienne transparent.
6. Saupoudrez de persil au moment de servir.

SOUPE VICHYSSOISE SERVIE CHAUDE

INGRÉDIENTS

 4 blancs de poireaux tranchés
 2 oignons émincés
 2 branches de céleri coupées
 2 pommes de terre coupées
 4 tasses (1 l) d'eau bouillante
 2 c. à thé (2 c. à café) de sel
1/2 tasse (120 g) de beurre
1/2 tasse (75 g) de farine tout usage

PRÉPARATION

1. Faites cuire les légumes 20 minutes à l'eau bouillante.
2. Faites fondre le beurre, ajoutez la farine, cuisez en brassant.
3. Retirez du feu, ajoutez le liquide des légumes, mélangez parfaitement.
4. Remettez sur le feu et continuez la cuisson en brassant jusqu'à épaississement.
5. Ajoutez les légumes cuits et passez le tout au mélangeur.
6. Remplissez les contenants stérilisés jusqu'à 1 po (2,5 cm) du bord.
7. Stérilisez pendant 70 minutes sous 10 lb (70 kPa) de pression.
8. Retirez de l'eau chaude.
9. Refroidissez.

Pour servir: chauffez au point d'ébullition avec une égale quantité de lait et de crème à 15 p. 100. Saupoudrez de ciboulette hachée. Vous pouvez doubler ou tripler les ingrédients donnés dans cette recette.

* 120 minutes de stérilisation si on utilise la technique du bain d'eau bouillante (voir note page 13).

Les viandes

AGNEAU

INGRÉDIENTS

4 pintes (4,5 l) d'eau
6 lb (3 kg) d'agneau
Bouquet garni (voir page 34)
2 c. à table (2 c. à soupe) de gros sel

PRÉPARATION

1. Chauffez l'eau avec le bouquet garni et le sel.
2. Ajoutez l'agneau coupé en morceaux d'environ 3/4 lb (300 g).
3. Faites mijoter 30 minutes.
4. Retirez la viande.
5. Enlevez les os, le gras et le cartilage.
6. Déposez l'agneau coupé en grosses tranches dans les bocaux de verre ou les boîtes en fer-blanc émaillées.
7. Remplissez jusqu'à 1/4 po (1/2 cm) du bord avec le bouillon coulé qui a servi à la cuisson, après l'avoir fait concentrer à la moitié du volume.
8. Fermez les contenants.
9. Stérilisez 120 minutes sous 10 lb (70 kPa) de pression *.
10. Refroidissez.

* 90 minutes de stérilisation si on utilise la technique du bain d'eau bouillante (voir note page 13).

BOEUF

INGRÉDIENTS

8 lb (4 kg) de boeuf
6 pintes (7 l) d'eau
1 bouquet garni (voir page 34)
2 c. à table (2 c. à soupe) de gros sel

PRÉPARATION

1. Essuyez le boeuf.
2. Coupez en morceaux de 1/2 lb (250 g).
3. Faites bouillir 30 minutes.
4. Enlevez les os, l'excès de gras et le cartilage.
5. Divisez à nouveau chaque morceau en 4 portions.
6. Déposez la viande dans des bocaux de verre ou dans des boîtes en fer-blanc émaillées.
7. Remplissez avec le liquide qui a servi à la cuisson après l'avoir coulé et l'avoir fait réduire de moitié.
8. Stérilisez 120 minutes sous 10 lb (70 kPa) de pression *.
9. Fermez.
10. Refroidissez.

* 180 minutes de stérilisation si on utilise la technique du bain d'eau bouillante (voir note page 13).

CASSOULET

INGRÉDIENTS

8 tasses (1,4 kg) de haricots blancs secs
4 pintes (4,5 l) d'eau froide
1 pinte (1 l) d'eau bouillante
1 bouquet garni (voir page 34)
1 lb (500 g) de lard salé coupé en tranches
1 boîte de concentré aux tomates (page 32)
1 canard domestique (facultatif)
4 lb (2 kg) d'agneau
2 lb (1 kg) d'épaule de porc
1 lb (500 g) de tranches de saucisson à l'ail
Eau bouillante pour couvrir
2 c. à table (2 c. à soupe) de gros sel

PRÉPARATION

1. Triez les haricots.
2. Lavez-les.
3. Trempez-les toute une nuit dans de l'eau froide.
4. Ajoutez le lendemain 1 pinte (1 l) d'eau bouillante, le bouquet garni, le lard salé et le concentré aux tomates.
5. Laissez mijoter 1 heure.
6. Faites cuire également dans des casseroles différentes, pendant 1 heure, dans suffisamment d'eau bouillante pour couvrir le canard, l'agneau et le porc.
7. Salez pendant la cuisson.
8. Enlevez les os, le cartilage et l'excès de gras. Divisez en morceaux.
9. Remplissez jusqu'à 1/2 po (1 cm) du bord des bocaux de verre ou des boîtes en fer-blanc émaillées, en alternant haricots, canard, agneau, porc et saucisson tranché.
10. Mettez un rang de haricots entre chaque rang de viande.
11. Ajoutez le bouillon pour remplir les contenants.
12. Stérilisez 120 minutes sous 10 lb (70 kPa) de pression *.
13. Refroidissez.

   * 180 minutes de stérilisation si on utilise la technique du bain d'eau bouillante (voir note page 13).

CÔTES LEVÉES (Spare-ribs)

INGRÉDIENTS

5 lb (2,5 kg) de côtes levées
Eau froide
2 c. à table (2 c. à soupe) de gros sel

PRÉPARATION

1. Essuyez les côtes levées avec un linge humide.
2. Coupez en morceaux de 3 à 4 po (7,5 à 10 cm).
3. Déposez dans une casserole.
4. Couvrez d'eau froide.
5. Chauffez jusqu'au point d'ébullition.
6. Salez.
7. Laissez mijoter, à couvert, à feu doux, 30 minutes.
8. Déposez la viande dans les contenants stérilisés, remplissez-les de bouillon dégraissé et coulé jusqu'à 1/2 po (1 cm) du bord.
9. Fermez.
10. Stérilisez 120 minutes sous 10 lb (70 kPa) de pression *.
11. Refroidissez.

Pour servir: chauffez un bocal de côtes levées. Ajoutez 1/2 tasse (1/8 l) de sauce spéciale à l'ail vendue dans le commerce; ou vous pouvez servir les côtes levées froides, accompagnées de catsup vert.

* 210 minutes de stérilisation si on utilise la technique du bain d'eau bouillante (voir note page 13).

CRETONS DU QUÉBEC

INGRÉDIENTS

- 2 lb (1 kg) de panne
- 6 lb (3 kg) de porc maigre haché
- 6 rognons de porc
- 1 gros oignon
- 3 gousses d'ail
- 4 tasses (1 l) d'eau
- 3 c. à table (3 c. à soupe) de gros sel
- 1 c. à thé (1 c. à café) de poivre
- 1 c. à thé (1 c. à café) de cannelle
- 1 c. à thé (1 c. à café) de clou de girofle

PRÉPARATION

1. Enlevez la membrane qui recouvre la panne.
2. Passez au hache-viande.
3. Faites tremper les rognons 20 minutes dans l'eau vinaigrée, ouvrez-les, enlevez toutes les nervures, passez les rognons au hache-viande, de même que l'oignon et les gousses d'ail.
4. Mettez le porc haché dans un chaudron en fonte.
5. Ajoutez la panne, les rognons, l'eau, le sel, le poivre et les épices.
6. Faites cuire à feu doux 1 heure en ayant soin de brasser de temps en temps.
7. Retirez du feu.
8. Vérifiez l'assaisonnement.
9. Déposez dans des bocaux de verre ou des boîtes en fer-blanc émaillées.
10. Fermez.
11. Stérilisez 120 minutes sous 10 lb (70 kPa) de pression *.
12. Refroidissez.

 * 180 minutes de stérilisation si on utilise la technique du bain d'eau bouillante (voir note page 13).

CIVET DE LIÈVRE

INGRÉDIENTS

- 4 lièvres
- 1/2 tasse (75 g) de farine
- 1 lb (500 g) de lard salé
- 1 pinte (1 l) d'eau
- 2 oignons émincés
- 2 gousses d'ail
- 1/2 c. à thé (1/2 c. à café) de poivre
- 1/2 c. à thé (1/2 c. à café) de thym
- 2 feuilles de laurier
- 2 tasses (1/2 l) de vin rouge
- 2 tasses (1/2 l) d'eau

PRÉPARATION

1. Découpez les lièvres en morceaux.
2. Déposez dans un bol le vin, l'eau, les oignons, les gousses d'ail, le poivre, le thym et les feuilles de laurier.
3. Ajoutez les morceaux de lièvre.
4. Laissez mariner au moins 4 heures.
5. Ébouillantez le lard salé. Coupez-les en petits dés. Faites rôtir dans une casserole épaisse.
6. Épongez les morceaux de lièvre.
7. Roulez dans la farine.
8. Faites dorer dans la matière grasse.
9. Couvrez d'eau.
10. Salez au goût.
11. Faites mijoter 20 minutes.
12. Désossez.
13. Remettez dans la casserole.
14. Ajoutez la marinade coulée.
15. Continuez la cuisson 10 minutes.
16. Remplissez les contenants jusqu'à 1/2 po (1 cm) du bord.
17. Fermez.
18. Stérilisez 120 minutes sous 10 lb (70 kPa) de pression *.
19. Refroidissez.

Pour servir: versez le contenu du récipient dans une casserole. Ajoutez la même quantité d'eau. Faites bouillir quelques minutes. Vérifiez l'assaisonnement.

* 180 minutes de stérilisation si on utilise la technique du bain d'eau bouillante (voir note page 13).

DINDE

INGRÉDIENTS

1 **grosse dinde**
4 **pintes (4,5 l) d'eau**
1 **bouquet garni (voir page 34)**
2 **c. à table (2 c. à soupe) de gros sel**

PRÉPARATION

1. Lavez la dinde.
2. Divisez-la en morceaux.
3. Faites cuire 45 minutes à l'eau bouillante salée dans laquelle on a ajouté le bouquet garni.
4. Retirez du liquide bouillant.
5. Enlevez la peau et les os.
6. Déposez en alternant chair blanche et chair brune dans des bocaux de verre ou dans des boîtes en fer-blanc émaillées.
7. Ajoutez du bouillon de cuisson coulé jusqu'à 1/2 po (1 cm) du bord.
8. Fermez.
9. Stérilisez 120 minutes sous 10 lb (70 kPa) de pression *.
10. Refroidissez.

   * 180 minutes de stérilisation si on utilise la technique du bain d'eau bouillante (voir note page 13).

GIBELOTTE DE LAPIN

INGRÉDIENTS

    4 lapins
1/2 tasse (125 g) de beurre
    3 douzaines de petits oignons
1/2 tasse (75 g) de farine tout usage
    2 tasses (1/2 l) de bordeaux blanc sec
    2 tasses (1/2 l) de bouillon de poulet
    1 c. à thé (1 c. à café) de thym
    1 feuille de laurier
    1 c. à table (1 c. à soupe) de gros sel
1/4 c. à thé (1/4 c. à café) de poivre
    2 c. à table (2 c. à soupe) de jus de citron

PRÉPARATION

1. Chauffez le gras dans une casserole épaisse, faites-y dorer les lapins dégraissés, lavés et coupés en morceaux.
2. Ajoutez la farine, faites-la blondir.
3. Versez le vin et le bouillon.
4. Chauffez jusqu'au point d'ébullition.
5. Ajoutez le thym, la feuille de laurier, le sel, le poivre.
6. Faites cuire pendant 45 minutes.
7. Ajoutez le jus de citron et les petits oignons pelés.
8. Continuez la cuisson 15 minutes.
9. Égouttez la viande et les oignons.
10. Mettez dans des contenants stérilisés.
11. Remplissez de bouillon coulé jusqu'à 1/2 po (1 cm) du bord.
12. Stérilisez 120 minutes sous 10 lb (70 kPa) de pression *.
13. Refroidissez.

Pour servir: faites chauffer un bocal de gibelotte. Ajoutez de la crème à 15 p. 100 jusqu'à l'obtention de la consistance désirée.

* 90 minutes de stérilisation si on utilise la technique du bain d'eau bouillante (voir note page 13).

LANGUES DE VEAU

INGRÉDIENTS

8 à 12 langues de veau, selon la grosseur
4 pintes (4,5 l) d'eau chaude
1 bouquet garni (voir page 34)
2 c. à table (2 c. à soupe) de gros sel

PRÉPARATION

1. Lavez les langues, déposez-les dans une casserole épaisse contenant l'eau, le sel et le bouquet garni.
2. Faites bouillir les langues jusqu'à ce que la peau s'enlève, ce qui demande environ 90 minutes.
3. Retirez les langues de l'eau, pelez-les, refroidissez-les.
4. Enlevez le cartilage.
5. Coulez le bouillon.
6. Mettez les langues entières ou coupées dans les contenants.
7. Ajoutez le bouillon de cuisson jusqu'à 1/2 po (1 cm) du bord.
8. Fermez les récipients.
9. Stérilisez 120 minutes sous 10 lb (70 kPa) de pression *.
10. Refroidissez.

   * 180 minutes de stérilisation si on utilise la technique du bain d'eau bouillante (voir note page 13).

LAPIN

INGRÉDIENTS

  4 lapins
  4 pintes (4,5 l) d'eau
  1 bouquet garni (voir page 34)
  2 c. à table (2 c. à soupe) de gros sel

PRÉPARATION

1. Nettoyez les lapins.
2. Découpez-les en 8 parties.
3. Déposez-les dans une casserole.
4. Ajoutez l'eau chaude, le bouquet garni et le sel.
5. Amenez à ébullition et laissez mijoter 30 minutes.
6. Retirez la viande du liquide.
7. Enlevez les os.
8. Déposez les morceaux de lapin dans les bocaux de verre ou les boîtes de fer-blanc émaillées.
9. Remplissez jusqu'à 1/2 po (1 cm) du bord avec le bouillon coulé qui a servi à la cuisson, après l'avoir fait réduire de moitié.
10. Fermez les contenants.
11. Stérilisez 120 minutes sous 10 lb (70 kPa) de pression *.
12. Refroidissez.

  * 90 minutes de stérilisation si on utilise la technique du bain d'eau bouillante (voir note page 13).

PAUPIETTES DE VEAU FARCIES

INGRÉDIENTS

- 6 lb (2 kg) de tranches de veau très minces dans le cuisseau
- 3 c. à table (45 g) de beurre
- 3 oignons émincés
- 1 lb (500 g) de porc frais haché
- 4 tasses (120 g) de mie de pain émiettée
- 3 oeufs battus
- 1/2 c. à thé (1/2 c. à café) de thym séché
- 1/2 c. à thé (1/2 c. à café) de marjolaine
- 2 c. à table (2 c. à soupe) de persil haché
- Sel et poivre
- 10 tranches de lard salé
- 4 tasses (1 l) de bouillon

PRÉPARATION

1. Battez les tranches de veau à l'aide d'un couperet pour les amincir.
2. Chauffez le beurre, faites revenir les oignons et le porc haché.
3. Ajoutez la mie de pain, les oeufs, le thym, la marjolaine et le persil.
4. Mêlez le tout parfaitement.
5. Salez et poivrez au goût.
6. Déposez 1 c. à table (1 c. à soupe) de farce sur chaque escalope.
7. Fermez les bouts.
8. Roulez et ficelez.
9. Ébouillantez le lard salé.
10. Coupez en bâtonnets.
11. Faites-les dorer légèrement.
12. Mettez de côté.
13. Faites revenir les paupiettes dans le gras du lard.
14. Enlevez la ficelle.
15. Déposez dans les contenants en alternant paupiettes et bâtonnets de lard salé.
16. Couvrez jusqu'à 1/2 po (1 cm) du bord avec du bouillon.
17. Fermez.

18. Stérilisez 120 minutes sous 10 lb (70 kPa) de pression *.
19. Refroidissez.

* 180 minutes de stérilisation si on utilise la technique du bain d'eau bouillante (voir note page 13).

PERDRIX

INGRÉDIENTS

8 **perdrix**
1/2 **tasse (75 g) de lardons**
2 **c. à table (2 c. à soupe) de gros sel**
1 **c. à thé (1 c. à café) de poivre**
1 **c. à thé (1 c. à café) de romarin**
1 **c. à thé (1 c. à café) de thym**

PRÉPARATION

1. Ébouillantez les lardons.
2. Égouttez-les.
3. Faites-les dorer dans une cocotte épaisse.
4. Coupez les perdrix en 4.
5. Faites-les revenir, à petit feu, dans le lard fondu, 30 minutes.
6. Assaisonnez de sel, de poivre, de romarin et de thym.
7. Retirez la viande.
8. Enlevez les os.
9. Déposez dans les récipients. Ajoutez de l'eau jusqu'à 1/2 po (1 cm) du bord.
10. Stérilisez 120 minutes sous 10 lb (70 kPa) de pression *.
11. Refroidissez.

Pour servir: déposez les perdrix dans une casserole. Ajoutez la même quantité d'eau. Faites bouillir 10 minutes. Accompagnez ce mets de chou coupé en 8, cuit à l'eau bouillante salée, égoutté, roulé et rôti dans du beurre.

* 180 minutes de stérilisation si on utilise la technique du bain d'eau bouillante (voir note page 13).

POULES À LA CANADIENNE

INGRÉDIENTS

- 4 poules
- 4 pintes (4,5 l) d'eau bouillante
- 2 c. à table (2 c. à soupe) de gros sel
- 1 bouquet garni (voir page 34)
- 2 tasses (300 g) de farine
- 2 tasses (1/2 l) d'eau

PRÉPARATION

1. Séparez chaque poule en 8 parties.
2. Faites bouillir 40 minutes à l'eau bouillante salée dans laquelle on ajoutera le bouquet garni.
3. Retirez les volailles.
4. Enlevez les os et la peau.
5. Coulez le bouillon.
6. Ajoutez les portions de poulet.
7. Portez à ébullition.
8. Ajoutez la farine délayée dans l'eau froide en évitant de faire des grumeaux.
9. Faites bouillir 3 minutes.
10. Remplissez les récipients jusqu'à 1/2 po (1 cm) du bord.
11. Fermez.
12. Stérilisez 120 minutes sous 10 lb (70 kPa) de pression *.
13. Refroidissez.

Pour servir: versez le contenu d'un récipient dans une casserole. Ajoutez 2 tasses (1/2 l) de lait. Faites bouillir quelques minutes. Vérifiez l'assaisonnement.

* 120 minutes de stérilisation si on utilise la technique du bain d'eau bouillante (voir note page 13).

POULES EN GELÉE

INGRÉDIENTS

    2 pieds de veau coupés en deux
    4 oignons coupés en rondelles
    3 carottes tranchées
1/2 lb (250 g) de lard coupé en bâtonnets
    2 gousses d'ail
    8 feuilles de céleri
    1 bouquet garni (voir page 34)
    1 c. à table (1 c. à soupe) de gros sel
1/2 c. à thé (1/2 c. à café) de poivre
    2 poules de 4 à 5 lb (2 à 2,5 kg)
1/2 tasse (125 ml) de cognac (facultatif)
    2 clous de girofle
    2 petits piments rouges séchés

PRÉPARATION

1. Mettez dans une grande marmite les pieds de veau, les oignons, les carottes, les bâtonnets de lard, les gousses d'ail, les feuilles de céleri, le bouquet garni, le sel, le poivre et de l'eau froide pour couvrir.
2. Faites bouillir 60 minutes.
3. Ajoutez les poules coupées en 8 morceaux, le cognac, les clous de girofle et le piment.
4. Ajoutez de l'eau bouillante pour couvrir.
5. Continuez l'ébullition pendant 60 minutes.
6. Retirez les volailles.
7. Enlevez la peau et les os.
8. Remplissez les récipients en alternant le blanc, le brun des poules et les bâtonnets de lard.
9. Versez du bouillon concentré et coulé jusqu'à 1/2 po (1 cm) du bord.
10. Stérilisez 120 minutes sous 10 lb (70 kPa) de pression *.
11. Refroidissez.

Pour servir: ouvrez un contenant de poule en gelée. Déposez joliment sur de la laitue; de la purée de pommes ou un chutney aux fruits accompagne bien ce mets délicieux.

* 120 minutes de stérilisation si on utilise la technique du bain d'eau bouillante (voir note page 13).

PORC

INGRÉDIENTS

8 lb (4 kg) de porc maigre
4 pintes (4,5 l) d'eau
1 bouquet garni (voir page 34)
2 c. à table (2 c. à soupe) de gros sel

PRÉPARATION

1. Essuyez le porc.
2. Coupez en morceaux de 1 lb (500 g).
3. Faites bouillir 30 minutes.
4. Divisez ensuite en tranches épaisses.
5. Déposez la viande dans des bocaux de verre ou dans des boîtes en fer-blanc émaillées.
6. Remplissez jusqu'à 1/2 po (1 cm) du bord, avec le liquide qui a servi à la cuisson.
7. Fermez les contenants.
8. Stérilisez 120 minutes sous 10 lb (70 kPa) de pression *.
9. Refroidissez.

* 120 minutes de stérilisation si on utilise la technique du bain d'eau bouillante (voir note page 13).

POULETS EN SAUCE

INGRÉDIENTS

   3 poulets de 4 lb (2 kg) chacun coupés en morceaux
      Sel et poivre
      Farine tout usage
1/2 lb (250 g) de lard frais coupé en bâtonnets
   1 c. à table (15 g) de beurre
  30 petits oignons entiers
   2 1/2 tasses (6 dl) de vin blanc sec
   3 tasses (3/4 l) de bouillon de poulet
   4 tasses (600 g) de carottes coupées en cubes de
      1/2 po (1 cm)
   1 lb (500 g) de champignons frais
3/4 tasse (180 g) de beurre
3/4 tasse (180 g) de farine
   2 c. à thé (2 c. à café) de sel
1/2 c. à thé (1/2 c. à café) de poivre

PRÉPARATION

   1. Essuyez les morceaux de poulet.
   2. Salez, poivrez et passez-les dans la farine.
   3. Faites dorer les bâtonnets de lard. Mettez de côté.
   4. Dans une marmite, chauffez le beurre, faites revenir les morceaux de poulet et les oignons.
   5. Ajoutez les lardons.
   6. Salez et poivrez.
   7. Ajoutez le vin et le bouillon.
   8. Couvrez la marmite.
   9. Faites cuire au four, à 325 °C (160 °C), 30 minutes.
  10. Ajoutez les carottes, continuez la cuisson 15 minutes.
  11. Ajoutez les têtes entières des champignons et les tiges coupées en morceaux.
  12. Faites cuire 3 minutes à feu doux.
  13. Mêlez le beurre ramolli à la farine.
  14. Ajoutez à la préparation, par petites quantités à la fois, et laissez mijoter quelques minutes.
  15. Déposez dans les contenants en faisant alterner les morceaux de poulet, les lardons, les oignons, les carottes et les champignons.

16. Couvrez jusqu'à 1/2 po (1 cm) du bord avec la sauce.
17. Fermez les bocaux.
18. Stérilisez 120 minutes sous 10 lb (70 kPa) de pression *.
19. Laissez refroidir.

Pour servir: chauffez un récipient de poulet en sauce. Ajoutez de la crème à 15 p. 100 jusqu'à l'obtention de la consistance désirée.

* 180 minutes de stérilisation si on utilise la technique du bain d'eau bouillante (voir note page 13).

POITRINES DE POULET

INGRÉDIENTS

12 poitrines de poulet
Bouillon de poulet

PRÉPARATION

1. Déposez, sans les briser, les poitrines de poulet dans des bocaux de verre ou dans des boîtes en fer-blanc stérilisées.
2. Remplissez les récipients de bouillon de poulet jusqu'à 1/4 po (1/2 cm) du bord.
3. Faites stériliser 120 minutes sous 10 lb (70 kPa) de pression *.

* 90 minutes de stérilisation si on utilise la technique du bain d'eau bouillante (voir note page 13).

RAGOÛT D'AGNEAU

INGRÉDIENTS

    4 à 5 lb (2 à 2,5 kg) d'agneau coupé en morceaux
    1 tasse (150 g) de farine
  1/3 tasse (90 g) de beurre et d'huile
    5 tasses (1,2 l) d'eau
    1 1/2 c. à thé (1 1/2 c. à café) de sel
  1/4 c. à thé (1/4 c. à café) de poivre
   10 pommes de terre coupées en gros cubes
   10 carottes coupées en grosses tranches
    3 oignons émincés

PRÉPARATION

1. Essuyez la viande avec un linge humide.
2. Enlevez le surplus de gras.
3. Enfarinez les morceaux d'agneau.
4. Faites-les revenir dans le beurre et l'huile jusqu'à ce qu'ils soient bien dorés.
5. Ajoutez l'eau.
6. Couvrez.
7. Laissez mijoter 20 minutes.
8. Ajoutez le sel, le poivre, les pommes de terre, les carottes et les oignons.
9. Continuez la cuisson encore 15 minutes.
10. Remplissez les contenants en répartissant uniformément viande et légumes.
11. Remplissez jusqu'à 1/4 po (1/2 cm) du bord avec le bouillon coulé qui a servi à la cuisson du ragoût.
12. Fermez les récipients.
13. Stérilisez 120 minutes sous 10 lb (70 kPa) de pression *.
14. Laissez refroidir.

   * 90 minutes de stérilisation si on utilise la technique du bain d'eau bouillante (voir note page 13).

RAGOÛT DE BOULETTES DE PORC

INGRÉDIENTS

6 lb (3 kg) de porc haché
1 gros oignon émincé
1/4 tasse (55 g) de graisse
3 c. à table (3 c. à soupe) de sel
2 c. à thé (2 c. à café) de poivre
1 c. à thé (1 c. à café) de clou moulu
1 c. à thé (1 c. à café) de cannelle
1 c. à thé (1 c. à café) de muscade
6 pintes (7 l) d'eau bouillante
3 tasses (600 g) de farine grillée
6 tasses (1,5 l) d'eau froide

PRÉPARATION

1. Déposez la viande dans un grand bol.
2. Ajoutez l'oignon émincé revenu dans la graisse et tous les assaisonnements: sel, poivre, clou, cannelle et muscade.
3. Travaillez le mélange avec les mains pour bien distribuer les assaisonnements.
4. Façonner les boulettes de moyenne grosseur.
5. Passez dans la farine, faites-les mijoter 20 minutes à l'eau bouillante.
6. Ajoutez, en brassant, la farine grillée délayée dans l'eau froide.
7. Faites bouillir 3 minutes.
8. Remplissez les récipients jusqu'à 1/2 po (1 cm) du bord.
9. Fermez.
10. Stérilisez 120 minutes sous 10 lb (70 kPa) de pression *.
11. Refroidissez.

   Pour servir: versez le contenu du récipient dans une casserole. Ajoutez la même quantité d'eau. Faites bouillir quelques minutes. Vérifiez l'assaisonnement, servez avec des pommes de terre bouillies.

   Remarque: Vous faites griller la farine dans un poêlon directement sur l'élément de la cuisinière ou au four à 350 °F (180 °C).

* 180 minutes de stérilisation si on utilise la technique du bain d'eau bouillante (voir note page 13).

RAGOÛT DE BOEUF ET DE ROGNONS

INGRÉDIENTS

- 6 lb (3 kg) de boeuf (bas de ronde)
- 4 rognons de porc
- 2 c. à table (30 g) de graisse
- 4 pintes (4,5 l) d'eau
- 2 c. à table (2 c. à soupe) de gros sel
- 1 gousse d'ail
- 2 tasses (300 g) de farine grillée
- 4 tasses (1 l) d'eau froide
- 2 c. à thé (2 c. à café) de paprika
- 1/2 tasse (125 g) de concentré aux tomates (voir page 32)

PRÉPARATION

1. Faites tremper les rognons 20 minutes dans de l'eau froide vinaigrée.
2. Égouttez.
3. Séparez-les en deux sur la longueur.
4. Enlevez soigneusement toutes les nervures qui se trouvent à l'intérieur, ainsi que la petite peau qui les recouvre.
5. Coupez en gros dés.
6. Essuyez et passez dans la farine pour assécher.
7. Chauffez la graisse, faites saisir les rognons.
8. Coupez le boeuf en gros cubes.
9. Faites mijoter, pendant 30 minutes, dans l'eau bouillante salée dans laquelle on a ajouté la gousse d'ail.
10. Épaississez ce ragoût avec la farine délayée à l'eau froide.
11. Ajoutez les rognons, le paprika et le concentré aux tomates.
12. Amenez à ébullition, laissez mijoter 15 à 20 minutes.
13. Vérifiez l'assaisonnement.
14. Déposez dans des bocaux de verre ou dans des boîtes en fer-blanc.
15. Stérilisez 120 minutes sous 10 lb (70 kPa) de pression *.
16. Refroidissez.

* 180 minutes de stérilisation si on utilise la technique du bain d'eau bouillante (voir note page 13).

SAUTÉ DE VEAU

INGRÉDIENTS

- 6 lb (3 kg) de veau coupé en cubes
- 1/4 tasse (36 g) de farine
- 2 c. à table (30 g) de beurre
- 2 c. à table (2 c. à soupe) d'huile végétale
- 4 tasses (1 l) de bouillon ou d'eau
- 2 tasses (1/2 l) de jus de tomates
- 1 bouquet garni (voir page 34)
- 2 c. à table (2 c. à soupe) de gros sel

PRÉPARATION

1. Enfarinez les cubes de veau, sautez-les dans la matière grasse, dans une cocotte épaisse.
2. Ajoutez le bouillon ou l'eau, le jus de tomates, le bouquet garni et le sel.
3. Faites bouillir 20 minutes.
4. Enlevez le bouquet garni.
5. Vérifiez l'assaisonnement.
6. Déposez dans les récipients.
7. Stérilisez 120 minutes sous 10 lb (70 kPa) de pression *.
8. Refroidissez.

Pour servir: chauffez dans une casserole émaillée un contenant de sauté de veau. Ajoutez en brassant 1 tasse (250 ml) de crème chaude à 15 p. 100.

* 180 minutes de stérilisation si on utilise la technique du bain d'eau bouillante (voir note page 13).

VEAU À LA CRÉOLE

INGRÉDIENTS

8 à 10 lb (4 à 5 kg) de veau coupé en morceaux
3/4 tasse (110 g) de farine tout usage
1 1/2 c. à table (1 1/2 c. à soupe) de sel
Huile végétale
3 tasses (475 g) d'oignons émincés
1 1/2 tasse (190 g) de piment haché
2 boîtes de 28 oz (1,5 l) de tomates
3 gousses d'ail émincées
3/4 c. à thé (3/4 c. à café) de basilic

PRÉPARATION

1. Essuyez les morceaux de veau.
2. Mettez dans un sac la farine et le sel.
3. Enfarinez quelques morceaux de veau à la fois en secouant.
4. Faites revenir dans une poêle contenant 1/2 po (1 cm) d'huile végétale.
5. Faites dorer également dans l'huile les oignons et le piment.
6. Répartissez veau et légumes dans des contenants stérilisés.
7. Remplissez jusqu'à 1/2 po (1 cm) du bord avec les tomates cuites 3 minutes avec l'ail et le basilic.
8. Coulez avant de verser dans les bocaux.
9. Fermez.
10. Stérilisez pendant 120 minutes sous 10 lb (70 kPa) de pression *.
11. Refroidissez.

* 180 minutes de stérilisation si on utilise la technique du bain d'eau bouillante (voir note page 13).

Les poissons

DORÉS

INGRÉDIENTS

5 à 6 dorés
Huile végétale
Saumure

PRÉPARATION

1. Éviscérez les dorés.
2. Coupez la tête, les nageoires et la queue.
3. Faites tremper les poissons pendant 30 minutes dans une saumure faite de 1/4 tasse (28 g) de gros sel par 2 pintes (1 l) d'eau (préparez suffisamment de saumure pour y faire tremper tous les dorés).
4. Égouttez.
5. Coupez en morceaux de la grosseur voulue pour être mis dans les contenants.
6. Asséchez.
7. Faites revenir, pendant 2 minutes, de chaque côté, dans l'huile.
8. Mettez dans les bocaux les morceaux aussi serrés que possible, la peau vers l'extérieur.
9. Fermez.
10. Stérilisez 120 minutes sous 10 lb (70 kPa) de pression *.
11. Refroidissez.

* 180 minutes de stérilisation si on utilise la technique du bain d'eau bouillante (voir note page 13).

FILETS D'ACHIGAN

INGRÉDIENTS

8 à 10 lb (4 à 5 kilos) de filets d'achigan
Huile
Sel

PRÉPARATION

1. Prélevez les filets d'achigan.
2. Enlevez la peau.
3. Essuyez.
4. Coupez de la longeur convenant aux récipients.
5. Faites revenir chaque filet dans l'huile, 2 minutes de chaque côté.
6. Déposez les filets chauds en les tassant dans des bocaux de verre ou des boîtes en fer-blanc stérilisées, aussi serrés que possible.
7. Fermez.
8. Stérilisez 120 minutes sous 10 lb (70 kPa) de pression *.
9. Refroidissez.

* 180 minutes de stérilisation si on utilise la technique du bain d'eau bouillante (voir note page 13).

MORUE À LA SAUCE TOMATE

INGRÉDIENTS

3 à 4 morues
Huile
Sauce tomate (voir recette page 86)

PRÉPARATION

1. Éviscérez les morues.
2. Coupez les têtes, la queue et les nageoires.
3. Lavez.
4. Coupez les poissons en tronçons, sans enlever les arêtes, de la longueur convenant aux contenants.
5. Asséchez.
6. Faites revenir chaque morceau dans l'huile 2 minutes de chaque côté.
7. Déposez les morceaux de morue chauds dans des bocaux de verre ou dans des boîtes de fer-blanc stérilisées.
8. Remplissez de sauce tomate en laissant un espace libre de 1/2 po (1 cm) en haut du récipient.
9. Fermez.
10. Stérilisez 120 minutes sous 10 lb (70 kPa) de pression * (après ce temps de cuisson, les arêtes sont cuites).
11. Refroidissez.

   * 180 minutes de stérilisation si on utilise la technique du bain d'eau bouillante (voir note page 13).

SAUCE TOMATE

INGRÉDIENTS

1/4 tasse (1/2 dl) d'huile végétale
4 oignons émincés
24 grosses tomates rouges
2 tasses (1/2 l) d'eau
2 feuilles de laurier
4 clous de girofle
2 gousses d'ail
12 feuilles de céleri
4 tiges de persil

PRÉPARATION

1. Blanchissez les tomates.
2. Refroidissez-les.
3. Pelez-les.
4. Chauffez l'huile, faites revenir les oignons émincés sans les laisser brunir.
5. Ajoutez les tomates coupées en morceaux, l'eau et tous les autres ingrédients.
6. Faites mijoter 30 minutes.
7. Passez au tamis.

TRUITES GRISES OU AUTRES

INGRÉDIENTS

20 à 24 truites
Sel

PRÉPARATION

1. Éviscérez les truites.
2. Coupez les têtes, les queues et les nageoires.
3. Lavez.
4. Cuisez 10 minutes à la vapeur.
5. Mettez les poissons dans les contenants, aussi serrés que possible, la peau vers l'extérieur.
6. Ajoutez 1/4 c. à thé (1/4 c. à café) de sel (pas d'eau).
7. Fermez.
8. Stérilisez 120 minutes sous 10 lb (70 kPa) de pression *.
9. Refroidissez.

* 180 minutes de stérilisation si on utilise la technique du bain d'eau bouillante (voir note page 13).

SAUMON

INGRÉDIENTS

2 ou 3 saumons très frais
Sel

PRÉPARATION

1. Écaillez les saumons.
2. Enlevez les têtes, les viscères, les nageoires et les queues.
3. Lavez-les; n'enlevez pas les arêtes.
4. Coupez-les en tronçons.
5. Passez-les 10 minutes à la vapeur dans un petit ustensile appelé «marguerite».
6. Mettez dans les récipients, aussi serrés que possible, la peau vers l'extérieur.
7. Ajoutez 1/4 c. à thé (1/4 c. à café) de sel (pas d'eau).
8. Fermez.
9. Stérilisez 120 minutes sous 10 lb (70 kPa) de pression *.
10. Refroidissez.

* 180 minutes de stérilisation si on utilise la technique du bain d'eau bouillante (voir note page 13).

Les légumes

ASPERGES

INGRÉDIENTS

Asperges
Eau bouillante
Sel

PRÉPARATION

1. Lavez les asperges.
2. Coupez les tiges à la hauteur des bocaux.
3. Liez-les en bottes.
4. Faites-les blanchir 3 minutes dans un bain d'eau bouillante.
5. Refroidissez.
6. Remplissez les récipients d'asperges, les pointes en haut.
7. Ajoutez 1/2 c. à thé (1/2 c. à café) de sel par bocal de verre de 16 oz (6 dl).
8. Ajoutez l'eau bouillante jusqu'à 1/4 po (1/2 cm) du bord (espace de tête).
9. Fermez les contenants.
10. Stérilisez 30 à 35 minutes sous 10 lb (70 kPa) de pression *.
11. Refroidissez.

* 120 minutes de stérilisation si on utilise la technique du bain d'eau bouillante (voir note page 13).

BETTERAVES ENTIÈRES

INGRÉDIENTS

Betteraves (petites)
Eau bouillante

PRÉPARATION

1. Lavez les betteraves.
2. Classez-les selon la grosseur.
3. Faites cuire à l'eau bouillante jusqu'à ce que la pelure s'enlève, environ 20 minutes.
4. Refroidissez.
5. Déposez dans les contenants.
6. Remplissez jusqu'à 1/4 po (1/2 cm) du bord d'eau bouillante.
7. Fermez les bocaux.
8. Stérilisez 35 minutes sous 10 lb (70 kPa) de pression *.
9. Refroidissez.

Omettez le sel, ce qui altère la couleur.

* 120 minutes de stérilisation si on utilise la technique du bain d'eau bouillante (voir note page 13).

BETTERAVES EN CUBES

INGRÉDIENTS

Betteraves
Sucre
Eau bouillante

PRÉPARATION

1. Lavez les betteraves.
2. Classez-les selon la grosseur.
3. Faites cuire à l'eau bouillante jusqu'à ce que la pelure s'enlève.
4. Refroidissez.
5. Coupez en cubes d'égale grosseur.
6. Déposez dans des contenants.
7. Remplissez jusqu'à 1/4 po (1/2 cm) du bord d'eau bouillante.
8. Ajoutez 1/2 c. à thé (1/2 c. à café) de sucre.
9. Fermez les bocaux.
10. Stérilisez 35 minutes sous 10 lb (70 kPa) de pression *.
11. Refroidissez.

* 90 minutes de stérilisation si on utilise la technique du bain d'eau bouillante (voir note page 13).

CAROTTES

INGRÉDIENTS

Carottes entières
Eau bouillante
Sel

PRÉPARATION

1. Ratissez les carottes.
2. Lavez.
3. Classifiez selon la grosseur.
4. Blanchissez 10 minutes.
5. Refroidissez.
6. Déposez dans les contenants stérilisés, en alternant petits et gros bouts.
7. Ajoutez 1/2 c. à thé (1/2 c. à café) de sel et de l'eau bouillante jusqu'à 1/4 po (1/2 cm) du bord.
8. Fermez les récipients.
9. Stérilisez 45 minutes sous 10 lb (70 kPa) de pression *.
10. Refroidissez.

   * 120 minutes de stérilisation si on utilise la technique du bain d'eau bouillante (voir note page 13).

CHOUX-FLEURS

INGRÉDIENTS

Choux-fleurs
Eau bouillante
Sel

PRÉPARATION

1. Enlevez les fleurettes des choux-fleurs.
2. Faites tremper 30 minutes dans de l'eau froide salée.
3. Égouttez.
4. Blanchissez 3 minutes.
5. Refroidissez.
6. Déposez dans les contenants.
7. Ajoutez 1/2 c. à thé (1/2 c. à café) de sel et de l'eau bouillante jusqu'à 1/4 po (1/2 cm) du bord.
8. Fermez.
9. Stérilisez 70 minutes sous 10 lb (70 kPa) de pression *.
10. Refroidissez.

* 60 minutes de stérilisation si on utilise la technique du bain d'eau bouillante (voir note page 13).

COURGES

INGRÉDIENTS
Courges
Sel
Eau bouillante

PRÉPARATION

1. Pelez les courges.
2. Ôtez les graines et les membranes.
3. Coupez en morceaux.
4. Faites blanchir 3 minutes.
5. Plongez dans de l'eau froide.
6. Remplissez les bocaux ou les boîtes.
7. Ajoutez 1/2 c. à thé (1/2 c. à café) de sel et de l'eau bouillante jusqu'à 1/4 po (1/2 cm) du bord.
8. Fermez.
9. Stérilisez 110 minutes sous 10 lb (70 kPa) de pression *.
10. Refroidissez.

   * 120 minutes de stérilisation si on utilise la technique du bain d'eau bouillante (voir note page 13).

ÉPINARDS

INGRÉDIENTS

Épinards
Eau bouillante
Sel

PRÉPARATION

1. Lavez soigneusement les épinards.
2. Enlevez les tiges.
3. Blanchissez 15 minutes à la vapeur dans un ustensile appelé «marguerite» (blanchi de cette façon, le produit retient la plus grande partie de ses sels minéraux).
4. Remplissez les contenants.
5. Ajoutez 1/2 c. à thé (1/2 c. à café) de sel et de l'eau bouillante jusqu'à 1/4 po (1/2 cm du bord).
6. Fermez les récipients.
7. Stérilisez 80 minutes sous 10 lb (70 kPa) de pression *.
8. Refroidissez.

* 180 minutes de stérilisation si on utilise la technique du bain d'eau bouillante (voir note page 13).

HARICOTS JAUNES OU VERTS

INGRÉDIENTS

Haricots entiers ou coupés en morceaux
Sel
Eau bouillante

PRÉPARATION

1. Lavez les haricots.
2. Enlevez les fils.
3. Coupez en morceaux.
4. Faites blanchir 3 minutes dans de l'eau bouillante.
5. Refroidissez.
6. Remplissez les récipients. Ajoutez 1 c. à thé (1 c. à café) de sel et de l'eau bouillante jusqu'à 1/4 po (1/2 cm) du bord.
7. Fermez.
8. Stérilisez 30 minutes sous 10 lb (70 kPa) de pression *.
9. Refroidissez.

    * 180 minutes de stérilisation si on utilise la technique du bain d'eau bouillante (voir note page 13).

MAÏS EN GRAINS

INGRÉDIENTS

Maïs en grains
Sel
Sucre
Eau bouillante

PRÉPARATION

1. Couvrez les épis de maïs d'eau bouillante.
2. Faites bouillir à couvert 4 minutes.
3. Passez à l'eau froide.
4. Coupez les grains de maïs de l'épi en utilisant un couteau bien aiguisé.
5. Remplissez les récipients, ajoutez 1/2 c. à thé (1/2 c. à café) de sel, 1 c. à thé (1 c. à café) de sucre et de l'eau bouillante en laissant un espace de tête de 1/2 po (1 cm).
6. Fermez les contenants.
7. Stérilisez 60 minutes sous 10 lb (70 kPa) de pression *.
8. Refroidissez.

Il n'est pas recommandé de conserver le maïs dans des contenants de 28 oz (796 ml).

* 180 minutes de stérilisation si on utilise la technique du bain d'eau bouillante (voir note page 13).

MAÏS LESSIVÉ

INGRÉDIENTS

  3 **pintes (3,5 l) de grains de maïs mûris sur épis**
  6 **pintes (7 l) d'eau froide**
1/2 **tasse (100 g) de soda à pâte (bicarbonate de soude)**

PRÉPARATION

1. Enlevez les grains de maïs des épis.
2. Mélangez à l'eau et au soda à pâte.
3. Faites tremper toute une nuit.
4. Faites bouillir dans la même eau pendant 3 heures.
5. Ajoutez 2 autres pintes (2 l) d'eau pendant la cuisson.
6. Égouttez et rincez les grains en frottant jusqu'à ce que les peaux s'enlèvent.
7. Couvrez d'eau bouillante.
8. Faites bouillir de nouveau 5 minutes.
9. Égouttez.
10. Refaites l'opération encore une fois.
11. Remplissez les récipients jusqu'à 1 po (2,5 cm) du bord. Ajoutez 1 c. à thé (1 c. à café) de sel et un peu d'eau.
12. Fermez.
13. Stérilisez 50 minutes sous 10 lb (70 kPa) de pression *.
14. Refroidissez.

Pour servir: chauffez un contenant de maïs lessivé, ajoutez 2 c. à table (2 c. à soupe) de beurre. Salez et poivrez. Servir comme légume.

Ce maïs est excellent ajouté à la soupe aux pois.

Il n'est pas recommandé de conserver le maïs dans des contenants de 28 oz (796 ml).

  * 120 minutes de stérilisation si on utilise la technique du bain d'eau bouillante (voir page 13).

PANAIS

INGRÉDIENTS

Panais
Sel
Eau bouillante

PRÉPARATION

1. Ratissez les panais.
2. Lavez-les.
3. Classez-les selon la grosseur.
4. Blanchissez 10 minutes à l'eau bouillante.
5. Mettez dans les contenants stérilisés en alternant petits et gros bouts.
6. Ajoutez 1/2 c. à thé (1/2 c. à café) de sel et de l'eau bouillante jusqu'à 1/4 po (1/2 cm) du bord.
7. Fermez les récipients.
8. Stérilisez 40 minutes sous 10 lb (70 kPa) de pression *.
9. Refroidissez.

* 90 minutes de stérilisation si on utilise la technique du bain d'eau bouillante (voir note page 13).

POIS VERTS

INGRÉDIENTS
    Pois verts
    Eau bouillante
    Sel

PRÉPARATION

1. Écossez les pois.
2. Déposez-les dans un panier en métal.
3. Blanchissez 10 minutes.
4. Refroidissez.
5. Mettez immédiatement dans les récipients.
6. Ajoutez 1/2 c. à thé (1/2 c. à café) de sel et de l'eau bouillante jusqu'à 1/2 po (1 cm) du bord.
7. Fermez.
8. Stérilisez 40 minutes sous 10 lb (70 kPa) de pression *.
9. Refroidissez.

  * 180 minutes de stérilisation si on utilise la technique du bain d'eau bouillante (voir note page 13).

SALSIFIS

INGRÉDIENTS
   Salsifis
   Sel
   Eau bouillante

PRÉPARATION
1. Ratissez les salsifis.
2. Classifiez selon la grosseur.
3. Blanchissez 4 minutes à l'eau bouillante salée.
4. Refroidissez immédiatement.
5. Déposez dans les contenants stérilisés en faisant alterner petits et gros bouts.
6. Ajoutez 1/2 c. à thé (1/2 c. à café) de sel et de l'eau bouillante jusqu'à 1/4 po (1/2 cm) du bord.
7. Fermez les récipients.
8. Stérilisez 40 minutes sous 10 lb (70 kPa) de pression *.
9. Refroidissez.

   * 90 minutes de stérilisation si on utilise la technique du bain d'eau bouillante (voir note page 13).

Les conserves
diverses

LASAGNES AUX NOUILLES VERTES

INGRÉDIENTS

8 pâtes de lasagne (nouilles aux épinards)
1 pinte (1 l) d'eau
1 c. à thé (1 c. à café) de sel
1 c. à table (1,5 cl) d'huile d'olive

PRÉPARATION

1. Chauffez l'eau avec le sel et l'huile d'olive.
2. Places les lasagnes les unes après les autres.
3. Faites bouillir à feu vif pendant 25 minutes.
4. Égouttez.
5. Passez à l'eau froide.
6. Beurrez un plat à gratin, y déposer 1 tasse (250 ml) de sauce italienne (voir page 122).
7. Couvrez avec 4 lasagnes (nouilles aux épinards).
8. Ajoutez 1/2 tasse (8 c. à soupe) de fromage cottage, 1/2 tasse (8 c. à soupe) de fromage mozzarella râpé et 4 lasagnes.
9. Arrosez avec 1 tasse (250 ml) de sauce italienne.
10. Saupoudrez de 1/2 tasse (8 c. à soupe) de fromage mozzarella râpé.
11. Faites gratiner au four à 350 °F (180 °C).

FEUILLES DE CHOU FARCIES
Avec sauce tomate (voir page 86)

INGRÉDIENTS

12 feuilles de chou cuites dans
2 pintes (2 l) d'eau bouillante salée
1 boîte de sauce tomate passée au mélangeur
Farce à l'agneau

FARCE À L'AGNEAU

INGRÉDIENTS

1/4 tasse (60 g) de beurre
1 oignon haché
1/2 tasse (45 g) de mie de pain
1/4 tasse (1/2 dl) d'eau chaude
2 tasses (300 g) d'agneau cuit, haché
1 c. à thé (1 c. à café) de sel
1/2 c. à thé (1/2 c. à café) de poivre
1 c. à table (1 c. à soupe) de persil haché
1/2 c. à thé (1/2 c. à café) de thym
2 c. à table (2 c. à soupe) de noix de Grenoble hachées

PRÉPARATION

1. Chauffez le beurre.
2. Faites revenir l'oignon.
3. Ajoutez la mie de pain.
4. Faites prendre couleur.
5. Ajoutez l'eau, l'agneau haché, ainsi que tous les assaisonnements et les noix de Grenoble hachées.
6. Refroidissez.
7. Farcissez les feuilles de chou cuites à l'eau bouillante salée.
8. Roulez pour bien enrober la farce.
9. Déposez les rouleaux dans un plat en pyrex huilé.
10. Recouvrez de sauce tomate.
11. Saupoudrez de chapelure.
12. Faites gratiner au four à 375 °F (190 °C).

Servez dans le plat de cuisson.

MACARONI À LA SAUCE TOMATE AROMATISÉE

INGRÉDIENTS

1 lb (500 g) de macaroni coupé en bouts
4 pintes (4 l) d'eau
2 c. à table (2 c. à soupe) de gros sel
1 c. à table (1,5 cl) d'huile végétale
Sauce tomate aromatisée (recette page 110)
4 tasses (500 g) de jambon cuit coupé en cubes

PRÉPARATION

1. Portez l'eau à ébullition, ajoutez le sel et l'huile.
2. Faites bouillir le macaroni, coupé en bouts, 10 minutes.
3. Passez à l'eau froide.
4. Mélangez 1 tasse (1 tasse à thé) de macaroni cuit, 2 tasses (2 tasses à thé) de sauce tomate aromatisée et 1/2 tasse (1/2 tasse à thé) de jambon cuit coupé en cubes.
5. Brassez le tout.
6. Remplissez les récipients jusqu'à 1/2 po (1 cm) du bord.
7. Stérilisez 20 minutes sous 10 lb (70 kPa) de pression *.
   Refroidissez. Gardez en réserve dans un endroit sec.

Pour servir: versez dans un plat à gratin beurré. Parsemez de noisettes de beurre et de fromage parmesan. Faites gratiner au four à 350 °F (180 °C).

* 60 minutes de stérilisation si on utilise la technique du bain d'eau bouillante (voir note page 13).

SAUCE TOMATE AROMATISÉE

INGRÉDIENTS

- 4 pintes (2,5 kg) de tomates coupées en morceaux et blanchies
- 2 tasses (250 g) de piments rouges doux coupés en cubes
- 2 tasses (250 g) d'oignons émincés
- 1 tasse (150 g) de céleri haché fin
- 8 clous de girofle
- 2 feuilles de laurier
- 2 gousses d'ail
- 1/4 tasse (60 g) de sucre
- 2 c. à table (2 c. à soupe) de gros sel
- 1 c. à thé (1 c. à café) d'origan
- 1/2 c. à thé (1/2 c. à café) de poivre
- 1 c. à thé (1 c. à café) de marjolaine

PRÉPARATION

1. Blanchissez les tomates 2 minutes dans de l'eau bouillante.
2. Refroidissez-les.
3. Pelez-les.
4. Coupez en morceaux.
5. Déposez dans une casserole émaillée avec tous les autres ingrédients.
6. Faites bouillir 1 heure.
7. Vérifiez l'assaisonnement.
8. Enlevez les clous de girofle, les feuilles de laurier et les gousses d'ail.

MACARONI À LA SAUCE TOMATE AU PAPRIKA

INGRÉDIENTS

1 lb (500 g) de macaroni
4 pintes (4,5 l) d'eau bouillante
2 c. à table (2 c. à soupe) de gros sel
1 c. à thé (1 c. à café) d'huile
Sauce tomate au paprika (recette page 112)

PRÉPARATION

1. Portez l'eau à ébullition.
2. Ajoutez le sel et l'huile.
3. Faites bouillir le macaroni 12 minutes.
4. Égouttez.
5. Passez à l'eau froide.
6. Mélangez 1 tasse de macaroni à 3 tasses de sauce tomate au paprika.
7. Faites ainsi jusqu'à ce que la provision de pâtes alimentaires et de sauce tomate soit épuisée.
8. Remplissez de ce mélange les récipients jusqu'à 1/2 po (1 cm) du bord.
9. Faites stériliser dans un bain d'eau bouillante 60 minutes ou 30 minutes sous 10 lb (70 kPa) de pression *.
10. Refroidissez.

Pour servir: versez dans un plat en pyrex beurré. Parsemez de noisettes de beurre. Saupoudrez de fromage de gruyère râpé. Faites gratiner au four à 350 °F (180 °C).

* 60 minutes de stérilisation si on utilise la technique du bain d'eau bouillante (voir note page 13).

SAUCE TOMATE AU PAPRIKA

INGRÉDIENTS

4 pintes (2,5 kg) de tomates coupées en morceaux
1/4 tasse (60 g) de sucre
2 c. à table (2 c. à soupe) de paprika
2 c. à thé (2 c. à café) de poivre
1 c. à table (1 c. à soupe) de moutarde en poudre
2 c. à table (2 c. à soupe) de gros sel
2 c. à thé (2 c. à café) de thym
4 feuilles de laurier

PRÉPARATION

1. Blanchissez les tomates 2 minutes dans de l'eau bouillante.
2. Refroidissez-les.
3. Pelez-les.
4. Coupez en morceaux. Déposez dans une casserole en fonte émaillée avec tous les autres ingrédients.
5. Faites mijoter 1 heure.
6. Brassez de temps à autre.
7. Vérifiez l'assaisonnement.
8. Enlevez les feuilles de laurier.

NOUILLES À LA SAUCE TOMATE À LA VIANDE HACHÉE

INGRÉDIENTS

1 lb (500 g) de nouilles aux oeufs
4 pintes (4,5 l) d'eau bouillante
2 c. à table (2 c. à soupe) de gros sel
1 c. à table (1 c. à soupe) d'huile végétale
Sauce tomate à la viande hachée: veau, porc et boeuf
(recette page 114)

PRÉPARATION

1. Faites bouillir l'eau.
2. Ajoutez le sel et l'huile.
3. Faites cuire les nouilles 5 minutes.
4. Égouttez.
5. Passez à l'eau froide.
6. Mélangez 1 tasse (1 tasse à thé) de nouilles à 2 tasses (2 tasses à thé) de sauce tomate à la viande. Faites ainsi jusqu'à ce que la provision de nouilles et de sauce à la viande soit épuisée.
7. Remplissez de ce mélange les récipients stérilisés en laissant un espace libre de 1/2 po (1 cm) en haut du bocal.
8. Faites stériliser 120 minutes sous 10 lb (70 kPa) de pression.
9. Refroidissez.

Pour servir: versez dans un plat à gratin beurré. Saupoudrez de chapelure. Faites dorer au four à 350 °F (180 °C).

* 180 minutes de stérilisation si on utilise la technique du bain d'eau bouillante (voir note page 13).

SAUCE TOMATE À LA VIANCE HACHÉE: VEAU, PORC ET BOEUF

INGRÉDIENTS

2 lb (1 kg) de viande hachée (veau, porc et boeuf)
1/4 tasse (1/2 dl) d'huile
2 oignons émincés
2 gousses d'ail
3 pintes (2 kg) de tomates coupées en morceaux
2 boîtes de pâte de tomate vendue dans le commerce
2 carottes râpées
1 tasse (150 g) de céleri coupé finement
1 tasse (125 g) de piment vert coupé en cubes
1/2 c. à thé (1 c. à café) d'origan
1 feuille de laurier
1 c. à table (15 g) de sucre
2 c. à table (2 c. à soupe) d'épices à marinade enveloppées dans du coton à fromage
1 c. à thé (1 c. à café) de piment rouge séché

PRÉPARATION

1. Chauffez l'huile dans une cocotte épaisse, faites revenir la viande hachée pendant 15 minutes en brassant.
2. Ajoutez les tomates blanchies 2 minutes pelées et coupées en morceaux, ainsi que tous les autres ingrédients.
3. Faites bouillir 1 heure.
4. Vérifiez l'assaisonnement.
5. Enlevez les gousses d'ail, la feuille de laurier et les épices à marinade.

PÂTES ALIMENTAIRES «MANICOTTI»

INGRÉDIENTS

1/4 lb (125 g) de pâtes alimentaires «manicotti»
2 pintes (2 l) d'eau bouillante
1 c. à thé (1 c. à café) de sel
1 c. à table (1 c. à soupe) d'huile d'olive
Farce au veau (voir page 116)
Sauce tomate à l'italienne (voir page 122)
Fromage mozzarella

PRÉPARATION

1. Faites cuire les pâtes alimentaires trouées appelées «manicotti» dans l'eau bouillante salée et l'huile d'olive pendant 6 minutes.
2. Enlevez les pâtes à l'aide d'une cuillère spéciale.
3. Rincez à l'eau froide en faisant attention de ne pas les briser.
4. Farcissez-les.

FARCE AU VEAU

INGRÉDIENTS

1/4 tasse (60 g) de beurre
1 oignon émincé
1 tasse (30 g) de mie de pain
2 tasses (300 g) de veau cuit haché
1 c. à thé (1 c. à café) de sel
1 c. à table (1 c. à soupe) de persil haché
1/2 c. à thé (1/2 c. à café) de thym
1 oeuf

PRÉPARATION

1. Faites revenir l'oignon émincé dans le beurre.
2. Ajoutez la mie de pain humectée, le veau, le sel, le persil et le thym.
3. Liez avec l'oeuf battu.
4. Laissez refroidir la farce avant de l'utiliser.
5. Farcissez les «manicotti».
6. Déposez-les dans un plat en pyrex huilé.
7. Recouvrez de sauce aux tomates à l'italienne.
8. Saupoudrez de fromage mozzarella.
9. Faites gratiner au four à 350 °F (180°C).

Servez dans le plat de cuisson.

RISOTTO

INGRÉDIENTS

2 lb (1 kg) de riz à longs grains
6 pintes (7 l) d'eau
2 c. à table (2 c. à soupe) de gros sel
Sauce tomate passée au mélangeur (voir page 124)

PRÉPARATION

1. Portez l'eau à ébullition.
2. Ajoutez le sel et le riz.
3. Faites bouillir 10 minutes.
4. Coulez.
5. Passez à l'eau froide.
6. Mélangez 1 tasse (1 tasse à thé) de riz à 3 tasses (3 tasses à thé) de sauce tomate passée au mélangeur.
7. Remplissez les contenants jusqu'à 1 po (2 cm) du bord.
8. Fermez.
9. Faites stériliser dans un bain d'eau bouillante 60 minutes ou 20 minutes sous 10 lb (70 kPa) de pression.
10. Refroidissez.

Pour servir: versez dans un plat à gratin beurré. Déposez sur le dessus 8 tranches de bacon rôties. Chauffez au four à 350 °F (180 °C) pendant 30 minutes.

SPAGHETTI À LA SAUCE TOMATE

INGRÉDIENTS

1 lb (500 g) de spaghetti
4 pintes (4,5 l) d'eau bouillante
2 c. à table (2 c. à soupe) de gros sel
1 c. à thé (1 c. à café) d'huile
Sauce tomate aux piments (voir page 119)

PRÉPARATION

1. Portez l'eau à ébullition.
2. Ajoutez le sel et l'huile.
3. Plongez le spaghetti dans l'eau bouillante, à mesure qu'il s'attendrit, se courbe et s'enroule dans l'eau bouillante.
4. Faites bouillir 10 minutes.
5. Égouttez dans une passoire.
6. Passez à l'eau froide.
7. Mélangez 1 tasse (1 tasse à thé) de spaghetti cuit à 2 tasses (2 tasses à thé) de sauce tomate.
8. Faites ainsi jusqu'à ce que la provision de pâtes alimentaires et de sauce tomate soit épuisée. Mélangez.
9. Remplissez les récipients jusqu'à 1/2 po (1 cm) du bord.
10. Faites stériliser dans un bain d'eau bouillante 60 minutes ou 20 minutes sous 10 lb (70 kPa) de pression.
11. Refroidissez.

Pour servir: versez dans un plat en pyrex beurré. Parsemez de noisettes de beurre. Saupoudrez de fromage canadien fort râpé. Faites gratiner au four à 350 °F (180 °C).

SAUCE TOMATE AUX PIMENTS

INGRÉDIENTS

4 pintes (2,5 kg) de tomates coupées en morceaux
1 tasse (125 g) de piment vert haché fin
1 tasse (125 g) d'oignons émincés
1 tasse (125 g) de céleri haché fin
1 feuille de laurier
1 gousse d'ail
1/4 tasse (60 g) de gros sel
1/2 c. à thé (1/2 c. à café) de poivre

PRÉPARATION

1. Blanchissez les tomates 2 minutes dans de l'eau bouillante, refroidissez-les et pelez-les.
2. Déposez dans une casserole en fonte émaillée avec tous les autres ingrédients.
3. Faites mijoter 1 heure.
4. Vérifiez l'assaisonnement.
5. Enlevez la feuille de laurier et la gousse d'ail.

SPAGHETTI À LA SAUCE TOMATE AUX BOULETTES DE BOEUF

INGRÉDIENTS

1 lb (500 g) de spaghetti
4 pintes (4,5 l) d'eau bouillante
2 c. à table (2 c. à soupe) de gros sel
1 c. à table (1 c. à soupe) d'huile
Sauce tomate
Boulettes de boeuf

PRÉPARATION

1. Portez l'eau à ébullition.
2. Ajoutez le sel et l'huile.
3. Faites bouillir le spaghetti 10 minutes.
4. Égouttez dans une passoire. Passez à l'eau froide.
5. Mélangez 1 tasse (1 tasse à thé) de spaghetti cuit à 2 tasses (2 tasses à thé) de sauce tomate aux boulettes de boeuf (mettre 4 petites boulettes par récipient de conserve). Faites ainsi jusqu'à ce que la provision de pâtes alimentaires, de sauce tomate et de boulettes de boeuf soit épuisée.
6. Remplissez de ce mélange les bocaux ou les boîtes stérilisées en laissant un espace libre de 1 po (2 ,5 cm) en haut du bocal.
7. Faites stériliser 120 minutes sous 10 lb (70 kPa) de pression *.
8. Refroidissez.

Pour servir: versez dans un plat à gratin beurré. Faites chauffer au four à 350 °F (180 °C).

* 180 minutes de stérilisation si on utilise la technique du bain d'eau bouillante (voir note page 13).

BOULETTES DE BOEUF

INGRÉDIENTS

1/3 tasse (90 g) de beurre
1 gros oignon émincé
3 lb (1,4 kg) de boeuf haché
Sel et poivre

PRÉPARATION

1. Chauffez le beurre, faites revenir l'oignon émincé.
2. Ajoutez le boeuf haché bien assaisonné de sel et de poivre et façonnez en boulettes.
3. Faites rôtir de tous côtés.

SAUCE TOMATE À L'ITALIENNE

INGRÉDIENTS

1/2 tasse (125 ml) d'huile
2 oignons émincés
3 gousses d'ail coupées finement
3 pintes (2 kg) de tomates coupées en morceaux
1 1/2 lb (750 g) de boeuf haché
1 1/2 lb (750 g) de porc haché
2 c. à table (2 c. à soupe) de gros sel
3 c. à table (3 c. à soupe) de persil haché
1 c. à thé (1 c. à café) de basilic
1 c. à thé (1 c. à café) d'origan
2 c. à table (30 g) de sucre

PRÉPARATION

1. Faites revenir les oignons et l'ail dans l'huile.
2. Ajoutez les tomates blanchies, pelées et coupées en morceaux, ainsi que tous les autres ingrédients.
3. Faites bouillir 1 heure.
4. Vérifiez l'assaisonnement.
5. Remplissez les récipients jusqu'à 1/4 po (1/2 cm) du bord.
6. Stérilisez 120 minutes sous 10 lb (70 kPa) de pression *.
7. Refroidissez.

Mettez en réserve pour préparer la lasagne aux nouilles vertes et autres pâtes alimentaires.

* 180 minutes de stérilisation si on utilise la technique du bain d'eau bouillante (voir note page 13)

SAUCE TOMATE À L'ORIGAN

INGRÉDIENTS

1/4 tasse (1/2 dl) d'huile
3 tasses (375 g) d'oignons émincés
3 pintes (2 kg) de tomates coupées en morceaux
1/2 tasse (60 g) de piment vert haché fin
2 gousses d'ail écrasées
1/4 tasse (90 g) de sucre
2 c. à table (2 c. à soupe) de gros sel
2 c. à thé (2 c. à café) d'origan
1/2 c. à thé (1/2 c. à café) de poivre
1 c. à thé (1 c. à café) de thym

PRÉPARATION

1. Chauffez l'huile dans une cocotte à fond épais, faites revenir les oignons émincés.
2. Ajoutez les tomates blanchies 2 minutes, refroidies, pelées et coupées en morceaux, ainsi que tous les autres ingrédients.
3. Faites bouillir 1 heure.
4. Vérifiez l'assaisonnement.
5. Passez au mélangeur.

SAUCE TOMATE PASSÉE AU MÉLANGEUR

INGRÉDIENTS

4 pintes (2,5 kg) de tomates
1 boîte de concentré aux tomates (voir page 32)
1 tasse (125 g) de piment rouge doux coupé en cubes
1 tasse (150 g) de céleri coupé
1 tasse (125 g) d'oignons émincés
2 gousses d'ail
1/4 tasse (60 g) de sucre
2 c. à table (2 c. à soupe) de gros sel
1/2 c. à thé (1/2 c. à café) de poivre
1/2 c. à thé (1/2 c. à café) d'origan

PRÉPARATION

1. Blanchissez, refroidissez et pelez les tomates, coupez-les en morceaux.
2. Déposez tous les ingrédients dans une cocotte en fonte émaillée.
3. Faites mijoter 1 heure, en brassant pour empêcher de coller.
4. Passez cette sauce au mélangeur.
5. Versez jusqu'à 1/2 po (1 cm) du bord, dans des bocaux de verre ou dans des boîtes en fer-blanc émaillées.
6. Fermez.
7. Stérilisez 60 minutes dans un bain d'eau bouillante ou 30 minutes sous 10 lb (70 kPa) de pression.
8. Refroidissez.

SAUCE TOMATE QUÉBÉCOISE

INGRÉDIENTS

4 pintes (2,5 kg) de tomates coupées en morceaux
2 boîtes de concentré de tomate (voir page 32) ou
4 boîtes de pâte de tomate vendue dans le commerce
1 tasse (125 g) de piment vert coupé en cubes
2/3 tasse (100 g) de céleri haché finement
2/3 tasse (85 g) d'oignons émincés
2 feuilles de laurier
1/2 c. à thé (1/2 c. à café) de poudre d'ail
1/4 tasse (60 g) de sucre
2 c. à table (2 c. à soupe) de gros sel
1/2 c. à thé (1/2 c. à café) de poivre

PRÉPARATION

1. Blanchissez les tomates, refroidissez-les et pelez-les.
2. Ajoutez tous les ingrédients dans une casserole en fonte émaillée.
3. Faites bouillir, à feu lent, pendant 1 heure, en brassant souvent pour empêcher de coller.
4. Versez cette sauce jusqu'à 1/2 po (1 cm) du bord, dans des bocaux de verre ou des boîtes de fer-blanc.
5. Fermez.
6. Stérilisez 60 minutes dans un bain d'eau bouillante ou 30 minutes sous 10 lb (70 kPa) de pression.

Cette sauce tomate québécoise peut être servie avec des pâtes alimentaires cuites 20 minutes à l'eau bouillante salée, refroidies, égouttées et déposées dans un plat à gratin beurré. Saupoudrez de fromage râpé. Gratinez au four.

VERMICELLE À LA SAUCE TOMATE AU BOEUF HACHÉ

INGRÉDIENTS

1 lb (500 g) de vermicelle
4 pintes (4,5 l) d'eau bouillante
2 c. à table (2 c. à soupe) de gros sel
1 c. à thé (1 c. à café) d'huile
Sauce tomate au boeuf haché (voir page 127)

PRÉPARATION

1. Faites bouillir l'eau.
2. Ajoutez le sel et l'huile.
3. Cuisez le vermicelle 5 minutes.
4. Égouttez.
5. Passez à l'eau froide.
6. Mélangez 3 tasses (3 tasses à thé) de vermicelle cuit à 6 tasses (6 tasses à thé) de sauce tomate à la viande.
7. Faites ainsi jusqu'à ce que la provision de pâtes alimentaires et de sauce tomate à la viande soit épuisée.
8. Mélangez.
9. Remplissez les récipients de ce mélange en laissant un espace libre de 1/2 po (1 cm) en haut du bocal.
10. Faites stériliser 120 minutes sous 10 lb (70 kPa) de pression ou dans un bain d'eau bouillante.
11. Refroidissez.

Pour servir: versez dans un plat beurré. Saupoudrez de chapelure et de quelques noisettes de beurre. Faites gratiner au four à 350 °F (180 °C).

SAUCE TOMATE AU BOEUF HACHÉ

INGRÉDIENTS

2 lb (1 kg) de boeuf haché
3/4 tasse (100 g) de céleri haché fin
1/2 tasse (60 g) d'oignons émincés
4 tasses (1 l) de jus de tomates
2 pintes (1,2 kg) de tomates coupées en morceaux
1 c. à thé (1 c. à café) d'origan
1/2 c. à thé (1/2 c. à café) de thym
2 c. à table (30 g) de sucre
1 c. à table (1 c. à soupe) de gros sel
1/2 c. à thé (1/2 c. à café) de poivre
1 gousse d'ail

PRÉPARATION

1. Blanchissez les tomates 2 minutes dans de l'eau bouillante.
2. Refroidissez-les.
3. Pelez-les.
4. Coupez en morceaux.
5. Mettez dans une casserole émaillée avec tous les autres ingré-dients.
6. Faites mijoter 1 heure.
7. Vérifiez l'assaisonnement.
8. Enlevez la gousse d'ail.

SAUCE TOMATE
AUX BOULETTES DE BOEUF

INGRÉDIENTS

3 pintes (2 kg) de tomates coupées en morceaux
1/2 tasse (60 g) de piment vert haché fin
1 tasse (125 g) d'oignons émincés
1 tasse (100 g) de champignons hachés
1/2 tasse (75 g) de céleri haché finement
2 c. à table (30 g) de sucre
2 c. à table (2 c. à soupe) de gros sel
1 gousse d'ail
8 clous de girofle

PRÉPARATION

1. Blanchissez les tomates 2 minutes à l'eau bouillante, refroidissez, pelez.
2. Déposez dans une casserole en fonte émaillée.
3. Faites mijoter 45 minutes.
4. Ajoutez les boulettes de boeuf (voir page 121).
5. Continuez la cuisson 15 minutes.
6. Enlevez la gousse d'ail et les clous de girofle.

Les fruits et les jus de fruits

MISE EN CONSERVE DES FRUITS
RENDEMENT APPROXIMATIF

FRUITS	GENRES DE CONTENANTS (boîte, casseau, panier, cageot)	Poids des fruits lb (kg)	Quantité approx. de fruits en conserve en pintes (l)
ABRICOTS	Boîte (Vu-Pak)	15 (6,80)	9 (10,2)
	Cageot de 4 paniers	20 (9)	12 (13,6)
CERISES	Panier de 6 pintes (7 l)	8 (3,6)	5 (5,7)
	Cageot de 4 paniers	20 (9)	13 (14,7)
FRAISES	12 casseaux d'une pinte (1 l)	15 (6,80)	12 (13,6)
	24 casseaux d'une chopine (1/2 l)	15 (6,80)	12 (13,6)
PÊCHES	Panier de 6 pintes (7 l)	8 (3,6)	4 (4,6)
	Empaquetage cloisonné	16-17 (7,5)	8-9 (9-10)
	Boîte (Vu-Pak)	16-17 (7,5)	8-9 (9-10)
PETITS FRUITS SAUF LES FRAISES	12 casseaux d'une pinte (1 l)	15 (6,80)	12 (13,6)
	24 casseaux d'une chopine (1/2 l)	15 (6,80)	12 (13,6)
POIRES	Panier de 6 pintes (7 l) (comble)	11 (5)	5 (5,7)
	Boîte	42 (19)	18-20 (20-22)
	Boîte (Handi-Pak)	17 1/2 (8)	8-9 (9-10)
	Boîte (Vu-Pak)	18 1/2 (8,5)	9-10 (10-11)
PRUNES ET PRUNEAUX	Panier de 6 pintes (7 l)	8 (3,6)	5 (5,7)
	Boîte (Vu-Pak)	17 (7,7)	10 (11,3)

Quantité de sirop

En vous servant du tableau ci-dessus, déterminez la quantité de sirop requise pour les fruits à mettre en conserve. Faites le sirop avant de préparer les fruits en ajoutant l'eau au sucre et en amenant au point d'ébullition. Écumez le sirop si c'est nécessaire et gardez chaud.

131

Pour prévenir la décoloration

L'acide ascorbique (vitamine C) aide à prévenir la décoloration des fruits de couleur pâle, conservés dans les bocaux de verre. Elle se vend en poudre, en cristaux ou en comprimés. Mettez l'acide au fond du bocal, à raison de 1/16 c. à thé (1/16 c. à café) (en poudre ou en cristaux) ou de 200 mg (en comprimés) pour chaque bocal d'une chopine (1/2 l) ou d'une pinte (1 l). Remplissez de fruits. Après la stérilisation, laissez refroidir les bocaux puis renversez-les à quelques reprises pour permettre à l'acide ascorbique de se répartir uniformément.

DENSITÉ DES SIROPS
pour conserver les fruits

SIROP TRÈS CLAIR

INGRÉDIENTS

2 tasses (400 g) de sucre
6 tasses (1,5 l) d'eau

PRÉPARATION

1. Ajoutez le sucre à l'eau.
2. Amenez à ébullition.
3. Laissez bouillir 2 minutes.
4. Utilisez chaud.

SIROP CLAIR

INGRÉDIENTS

2 tasses (400 g) de sucre
4 tasses (1 l) d'eau

PRÉPARATION

1. Même mode de préparation que pour le sirop très clair.

SIROP MOYEN

INGRÉDIENTS

2 tasses (400 g) de sucre
2 tasses (1/2 l) d'eau

PRÉPARATION

Même mode de préparation que pour le sirop très clair.

SIROP ÉPAIS

INGRÉDIENTS

2 tasses (400 g) de sucre
1 1/2 tasse (375 ml) d'eau

PRÉPARATION

Même mode de préparation que
pour le sirop très clair.

SIROP MOYEN AU MIEL

INGRÉDIENTS

1 1/2 tasse (300 g) de sucre
1/2 tasse (1/2 tasse à thé) de
miel blanc
2 tasses (1/2 l) d'eau

PRÉPARATION

1. Ajoutez le sucre et le miel à
   l'eau.
2. Amenez lentement au point
   d'ébullition.
3. Laissez bouillir 2 minutes.
4. Utilisez chaud.

Mise en conserve des fruits

PROCÉDÉS SPÉCIAUX

Au sucre sec (solide)

On recommande spécialement cette méthode pour la rhubarbe, les bleuets et les cerises qui serviront à faire des tartes ou des poudings, mais elle peut aussi s'appliquer dans le cas des autres fruits.

Lavez, préparez les fruits et écrasez-en une partie au fond de la marmite. Ajoutez le reste des fruits et faites chauffer pendant quelques minutes en brassant occasionnellement et, si c'est nécessaire, ajoutez un peu d'eau pour empêcher de coller au fond. Remplissez les bocaux ou les boîtes en saupoudrant entre les couches de fruits la quantité de sucre recommandée pour les conserves au sucre sec et en tassant un peu les fruits pour qu'ils soient couverts de jus. Laissez un espace de tête et stérilisez.

Au sucre sec (avec liquide)

Remplissez la moitié du bocal ou de la boîte avec des fruits, puis ajoutez du sucre et des fruits en faisant alterner les couches. Couvrez les fruits d'eau bouillante et laissez un espace de tête. Bouchez les récipients et inclinez plusieurs fois pour dissoudre le sucre. Stérilisez.

Quantités de sucre à utiliser dans le procédé à sucre sec

Pour un bocal d'une pinte (1 litre) (Gros fruits)		Pour un bocal d'une pinte (1 litre) (Petits fruits)	
Sucre	Équivalent en sirop	Sucre	Équivalent en sirop
1/2 tasse (125 g)	Très clair	1/3 tasse (80 g)	Très clair
2/3 tasse (160 g)	Clair	1/2 tasse (125 g)	Clair
3/4 tasse (185 g)	Modérément clair	2/3 tasse (160 g)	Modérément clair
1 tasse (250 g)	Moyen	3/4 tasse (185 g)	Moyen
1 1/4 tasse (310 g)	Épais	1 tasse (250 g)	Épais

Sans sucre

Suivez le procédé pour conserves solides mais supprimez le sucre. Ce n'est pas le sucre qui est l'agent de conservation mais plutôt la bonne stérilisation et l'emploi de bocaux fermant hermétiquement. Cependant, la plupart des fruits conservent mieux leur couleur lorsqu'on ajoute du sucre.

BLEUETS OU MYRTILLES

INGRÉDIENTS

Bleuets
Sirop moyen (voir page 132)

PRÉPARATION

1. Triez et lavez les bleuets.
2. Déposez dans une passoire.
3. Blanchissez 1 minute dans de l'eau bouillante.
4. Refroidissez dans de l'eau froide.
5. Mettez dans les contenants stérilisés. Remplissez jusqu'à 1/4 po (1/2 cm) du bord (espace de tête) avec du sirop moyen.
6. Fermez les récipients.
7. Stérilisez 15 minutes dans une grande casserole contenant de l'eau bouillante ou 10 minutes sous 5 lb (35 kPa) de pression.

Pour servir: diluez avec de l'eau. Ajoutez du sucre si c'est nécessaire ou utilisez pour faire des grand'pères aux bleuets (voir page 200).

CERISES

INGRÉDIENTS

Cerises cultivées
Sirop moyen (voir page 132)

PRÉPARATION

1. Lavez les cerises.
2. Enlevez les feuilles et les pédoncules.
3. Déposez dans des contenants stérilisés.
4. Remplissez de sirop moyen chaud jusqu'à 1/4 po (1/2 cm) du bord.
5. Fermez.
6. Stérilisez 20 à 35 minutes dans une grande casserole d'eau bouillante ou 10 minutes sous 5 lb (35 kPa) de pression.
7. Refroidissez.

Servez avec des biscuits à la cuillère à la farine d'avoine (voir page 195).

FRAMBOISES

INGRÉDIENTS

Framboises
Sirop moyen (voir page 132)

PRÉPARATION

1. Nettoyez les framboises.
2. Déposez dans les contenants stérilisés.
3. Remplissez de sirop moyen bouillant jusqu'à 1/2 po (1 cm) du bord.
4. Fermez les récipients.
5. Stérilisez 16 minutes dans une grande marmite d'eau bouillante ou 8 minutes sous 5 lb (35 kPa) de pression.
6. Refroidissez.

Servez avec du blanc-manger (voir page 198).

FRAISES

INGRÉDIENTS

Fraises
Sirop moyen (voir page 132)

PRÉPARATION

1. Lavez les fraises.
2. Enlevez les pédoncules.
3. Déposez immédiatement dans les contenants stérilisés.
4. Remplissez de sirop moyen bouillant jusqu'à 1/2 po (1 cm) du bord.
5. Fermez les bocaux.
6. Stérilisez 16 minutes dans une grande casserole d'eau bouillante ou 10 minutes sous 5 lb (35 kPa) de pression.
7. Refroidissez.

Servez avec une gelée ivoire (voir page 200).

PÊCHE

INGRÉDIENTS

Pêches
Sirop clair (voir page 132)

PRÉPARATION

1. Blanchissez les pêches à l'eau bouillante jusqu'à ce que la peau se fendille.
2. Plongez dans de l'eau froide.
3. Pelez.
4. Coupez en deux.
5. Enlevez le noyau.
6. Déposez dans des contenants stérilisés.
7. Remplissez de sirop clair chaud jusqu'à 1/4 po (1/2 cm) du bord.
8. Fermez les récipients.
9. Stérilisez 25 à 30 minutes dans une grande marmite d'eau bouillante ou 8 minutes sous 5 lb (35 kPa) de pression.
10. Refroidissez.

Servez avec du riz au lait à la vanille (voir page 203).

PIMENTS VERTS OU ROUGES DOUX

INGRÉDIENTS

Piments verts ou rouges
Eau bouillante
Sel

PRÉPARATION

1. Lavez les piments.
2. Faites blanchir 10 minutes dans un bain d'eau bouillante ou dans un four très chaud à 450 °F (225 °C), 8 minutes. Tournez plusieurs fois.
3. Refroidissez.
4. Pelez.
5. Coupez en 2 ou en 4.
6. Enlevez les semences.
7. Remplissez les contenants sans mettre d'eau. Ajoutez 1/2 c. à thé (1/2 c. à café) de sel.
8. Fermez les récipients.
9. Stérilisez dans une grande marmite d'eau bouillante pendant 40 minutes ou 20 minutes sous 10 lb (70 kPa) de pression.
10. Refroidissez.

POIRES

INGRÉDIENTS

Poires
Sirop de miel (voir page 133)

PRÉPARATION

1. Pelez les poires.
2. Coupez-les en moitiés.
3. Ôtez le coeur.
4. Blanchissez 2 minutes.
5. Refroidissez.
6. Déposez dans des contenants stérilisés.
7. Remplissez jusqu'à 1/4 po (1/2 cm) du bord, de sirop au miel.
8. Fermez.
9. Stérilisez 20 à 25 minutes dans un bain d'eau bouillante ou 10 minutes sous 5 lb (35 kPa) de pression.
10. Refroidissez.

Servez avec une crème au tapioca (voir page 199).

POMMES

INGRÉDIENTS

Pommes
Sirop très clair (voir page 132)

PRÉPARATION

1. Pelez les pommes.
2. Coupez en tranches.
3. Enlevez le coeur.
4. Déposez dans de l'eau froide salée (pour les empêcher de noircir).
5. Mettez dans un panier métallique.
6. Blanchissez 1 minute.
7. Refroidissez.
8. Remplissez les contenants stérilisés.
9. Couvrez de sirop très clair chaud.
10. Fermez.
11. Stérilisez 20 minutes dans un bain d'eau bouillante ou 10 minutes sous 5 lb (35 kPa) de pression.
12. Refroidissez.

Servez avec des biscuits à la muscade (voir page 196).

PURÉE DE POMMES

INGRÉDIENTS

- **5 lb (2,5 kg) de pommes**
- **2 tasses (1/2 l) d'eau**
- **2 tasses (400 g) de sucre**
- **1 c. à thé (1 c. à café) de zeste de citron**

PRÉPARATION

1. Lavez les pommes.
2. Pelez.
3. Enlevez le coeur.
4. Coupez en morceaux.
5. Déposez dans de l'eau froide salée (cette précaution empêche les pommes de noircir).
6. Versez l'eau salée.
7. Rincez.
8. Faites cuire 10 minutes avec l'eau dans une casserole couverte.
9. Ajoutez le sucre.
10. Continuez la cuisson 5 minutes.
11. Ajoutez le zeste de citron.
12. Déposez dans des contenants stérilisés.
13. Remplissez de purée jusqu'à 1/4 po (1/2 cm) du bord.
14. Fermez.
15. Stérilisez 25 minutes dans un bain d'eau bouillante ou 10 minutes sous 5 lb (35 kPa) de pression.
16. Refroidissez.

Servez avec des petits gâteaux vite faits (voir page 201).

PRUNES

INGRÉDIENTS
Prunes blanches ou bleues
Sirop épais (voir page 133)

PRÉPARATION
1. Lavez les prunes.
2. Laissez-les entières ou coupez-les en moitiés, et dénoyautez-les.
3. Amenez à ébullition dans le sirop et laissez mijoter 2 minutes.
4. Remplissez les contenants du produit chaud jusqu'à 1/4 po (1/2 cm), en laissant un espace de tête.
5. Fermez les récipients.
6. Stérilisez 20 à 25 minutes, sans interruption, dans un grande casserole d'eau bouillante ou 8 minutes sous 5 lb (35 kPa) de pression.
7. Refroidissez.

Servez avec des biscuits roulés à la farine d'avoine (voir page 197).

RHUBARBE

INGRÉDIENTS
Rhubarbe
Sirop moyen (voir page 132)

PRÉPARATION
1. Lavez la rhubarbe.
2. Coupez-la en morceaux.
3. Blanchissez-la 2 minutes.
4. Passez-la à l'eau froide.
5. Déposez-la dans des contenants stérilisés.
6. Remplissez, en laissant un espace de tête de 1/4 po (1/2 cm) de sirop moyen bouillant.
7. Fermez.
8. Stérilisez 20 minutes, sans interruption, dans une grande casserole d'eau bouillante ou 15 minutes sous 5 lb (35 kPa) de pression.
9. Refroidissez.

Utilisez pour faire un pouding à la rhubarbe (voir page 202).

TOMATES

INGRÉDIENTS

Tomates mûres
Sel
Acide citrique ou jus de citron reconstitué

PRÉPARATION

1. Lavez les tomates.
2. Plongez-les dans une bassine d'eau bouillante pendant 2 minutes, ou mieux, jusqu'à ce que la peau se fendille.
3. Retirez.
4. Refroidissez.
5. Pelez.
6. Enlevez le pédoncule, les parties dures et vertes.
7. Déposez entières dans les bocaux ou les boîtes.
8. Pressez pour remplir les vides.
9. Ajoutez le sel et 1 ml d'acide citrique ou 1 c. à table (15 ml) de jus de citron reconstitué pour 2 tasses (500 ml) de préparation.
10. Fermez.
11. Stérilisez 40 à 45 minutes dans un bain d'eau bouillante ou 25 minutes sous 5 lb (35 kPa) de pression.
12. Refroidissez.

TOMATES ET PIMENTS VERTS

INGRÉDIENTS

Tomates
Piments verts
Eau bouillante
Sel
Acide citrique ou jus de citron reconstitué

PRÉPARATION

1. Lavez les tomates, plongez-les dans un bain d'eau bouillante pendant 2 minutes, ou mieux, jusqu'à ce que la peau se fendille.
2. Refroidissez.
3. Pelez.
4. Enlevez le pédoncule et les parties dures et vertes.
5. Coupez en gros morceaux.
6. Lavez les piments, blanchissez-les 5 minutes.
7. Refroidissez, pelez, enlevez les semences et coupez les piments en petits cubes.
8. Mélangez les tomates et les piments.
9. Remplissez les contenants jusqu'à 1/4 po (1/2 cm) du bord.
10. Ajoutez 1/2 c. à thé (1/2 c. à café) de sel (pas d'eau). Ajoutez 1 ml d'acide citrique ou 1 c. à table (15 ml) de jus de citron reconstitué pour 2 tasses (500 ml) de préparation.
11. Fermez les récipients.
12. Stérilisez 40 à 50 minutes dans une grande marmite d'eau bouillante ou 20 minutes sous 10 lb (70 kPa) de pression.
13. Refroidissez.

JUS D'ATOCAS (airelles ou canneberges)

INGRÉDIENTS

- **4 pintes (2,5 kg) d'atocas (airelles)**
- **4 pintes (4,5 l) d'eau**
- **4 tasses (800 g) de sucre**

PRÉPARATION

1. Triez et lavez les atocas.
2. Déposez-les dans une cocotte en fonte émaillée.
3. Écrasez avec un pilon.
4. Ajoutez l'eau et le sucre.
5. Amenez doucement au point d'ébullition.
6. Laissez mijoter 15 minutes.
7. Coulez à travers une passoire recouverte d'un coton à fromage.
8. Versez dans des bocaux de verre stérilisés.
9. Fermez.
10. Stérilisez 15 minutes dans un bain d'eau bouillante ou 10 minutes sous 5 lb (35 kPa) de pression.
11. Refroidissez.

Diluez avec de l'eau pour servir ou utilisez pour faire un cocktail.

JUS DE BLEUETS (myrtilles)

INGRÉDIENTS

- **4 pintes (2,5 kg) de bleuets**
- **2 pintes (2 l) d'eau**
- **2 tasses (400 g) de sucre**

PRÉPARATION

1. Triez les bleuets.
2. Lavez-les, mettez-les dans une cocotte en fonte émaillée.
3. Écrasez-les avec un pilon.
4. Saupoudrez de sucre.
5. Ajoutez l'eau.
6. Ajoutez doucement au point d'ébullition.
7. Laissez mijoter 15 minutes.
8. Coulez à travers une passoire recouverte d'un coton à fromage.
9. Versez dans des bocaux de verre stérilisés.
10. Fermez.
11. Stérilisez 15 minutes dans un bain d'eau bouillante ou 10 minutes sous 5 lb (35 kPa) de pression.
12. Refroidissez.

Diluez avec de l'eau pour servir ou utilisez pour faire un punch.

JUS DE FRAMBOISES

INGRÉDIENTS

   4 pintes (2,5 kg) de framboises
   2 pintes (2 l) d'eau
   2 tasses (400 g) de sucre

PRÉPARATION

1. Triez les framboises.
2. Déposez-les dans une cocotte en fonte émaillée.
3. Écrasez avec un pilon.
4. Saupoudrez de sucre.
5. Ajoutez l'eau.
6. Amenez doucement au point d'ébullition.
7. Laissez mijoter 15 minutes.
8. Coulez à travers une passoire recouverte d'un coton à fromage.
9. Versez dans des bocaux de verre stérilisés.
10. Fermez.
11. Stérilisez 15 minutes dans un bain d'eau bouillante ou 10 minutes sous 5 lb (35 kPa) de pression.
12. Refroidissez.

Pour servir: diluez avec de l'eau ou utilisez pour faire un cocktail.

JUS DE GADELLES ROUGES

INGRÉDIENTS

- **4 pintes (2,5 kg) de gadelles rouges**
- **3 pintes (3,5 l) d'eau**
- **2 tasses (400 g) de sucre**

PRÉPARATION

1. Lavez les gadelles.
2. Déposez-les dans une cocotte en fonte émaillée.
3. Écrasez avec un pilon.
4. Ajoutez l'eau et le sucre.
5. Faites mijoter pendant 15 minutes.
6. Remuez de temps en temps.
7. Versez le jus dans un sac à gelée.
8. Laissez égoutter toute une nuit.
9. Remettez sur le feu.
10. Chauffez jusqu'au point d'ébullition.
11. Versez dans des bocaux de verre stérilisés en laissant un espace libre de 1/4 po (1/2 cm) en haut du bocal.
12. Fermez.
13. Stérilisez 15 minutes dans un bain d'eau bouillante ou 10 minutes sous 5 lb (35 kPa) de pression.
14. Refroidissez.

Vous pouvez utiliser pour faire un punch.

JUS DE RAISINS BLEUS

INGRÉDIENTS

4 pintes (2,5 kg) de raisins bleus
2 pintes (2 l) d'eau
Sucre

PRÉPARATION

1. Égrenez les raisins.
2. Lavez-les.
3. Déposez-les dans une cocotte en fonte émaillée.
4. Écrasez avec un pilon.
5. Ajoutez l'eau.
6. Amenez à ébullition, faites mijoter 20 minutes.
7. Remuez de temps en temps.
8. Versez dans un sac à gelée.
9. Laissez égoutter toute une nuit.
10. Mesurez le liquide.
11. Ajoutez à chaque tasse de jus 1/2 tasse (120 g) de sucre.
12. Remettez sur le feu, amenez à ébullition, faites bouillir 11 minute.
13. Versez le jus de raisins chaud dans des bocaux de verre stérilisés en laissant un espace libre de 1/4 po (1/2 cm) en haut du bocal.
14. Fermez les bocaux.
15. Stérilisez 15 minutes dans un bain d'eau bouillante ou 10 minutes sous 5 lb (35 kPa) de pression.
16. Refroidissez.

Pour servir: diluez avec de l'eau. Ajoutez du sucre si c'est nécessaire ou utilisez pour faire un punch.

JUS DE RHUBARBE

INGRÉDIENTS

4 pintes (2,5 kg) de rhubarbe
3 pintes (3,5 l) d'eau
4 tasses (800 g) de sucre

PRÉPARATION

1. Lavez la rhubarbe (ne pas la peler).
2. Coupez-la en bouts de 1 po (2,5 cm).
3. Mettez dans une casserole, ajoutez l'eau et le sucre.
4. Amenez au point d'ébullition en brassant.
5. Laissez mijoter 20 minutes.
6. Coulez à travers une passoire recouverte d'un coton à fromage.
7. Versez ce jus dans des bocaux de verre stérilisés en laissant un espace libre de 1/4 po (1/2 cm) en haut du bocal.
8. Fermez.
9. Stérilisez 15 minutes dans un bain d'eau bouillante ou 10 minutes sous 5 lb (35 kPa) de pression.
10. Refroidissez.
11. Gardez en réserve.

Diluez avec de l'eau pour servir ou utilisez pour faire un punch.

JUS DE TOMATES (à chaud)

1. Lavez les tomates, ôtez le coeur, coupez-les en morceaux.
2. Placez dans une casserole, amenez à ébullition et faites mijoter à couvert pendant 5 minutes.
3. Passez au tamis. Amenez à ébullition.
4. Versez dans les récipients stérilisés en laissant un espace de tête.
5. Ajoutez 1 c. à thé (5 ml) de sel et 30 ml (2 c. à table) de jus de citron reconstitué par bocal de 1 pinte (1 l).
6. Bouchez à demi et stérilisez 35 minutes dans un bain d'eau bouillante ou pendant 5 minutes dans un autoclave à 5 lb (35 kPa).
7. Fermez hermétiquement.

Note: Choisissez des tomates qui ont mûri sur les tiges; les parties vertes donnent un goût amer et désagréable.

Les confitures

Les confitures, gelées et marmelades entrent dans la catégorie des desserts; ce sont des préparations à base de fruits, cuites dans un sirop épais. Elles apportent de la variété aux repas, elles agrémentent les menus par leur saveur délicieuse.

Contrairement aux conserves de fruits, on ne fait pas stériliser les confitures, gelées et marmelades parce qu'elles sont préparées avec une plus grande quantité de sucre.

Pour réussir les confitures, gelées et marmelades et les garder en bon état, il faut respecter certaines règles qui sont:

1. Lavez et rincez les bocaux, stérilisez-les 20 minutes à 255 °F (125 °C), retirez-les au fur et à mesure que vous en avez besoin et refroidissez-les un peu avant de les remplir.

2. Utilisez des fruits pas trop mûrs parce qu'ils contiennent plus de pectine.

3. Triez et lavez les fruits avant de les faire cuire. Les fraises et les framboises doivent être lavées avant d'être équeutées.

4. Préparez confitures, gelées et marmelades en petites quantités, elles cuiront plus rapidement, seront moins foncées et auront plus de saveur.

5. Évitez de faire bouillir confitures et gelées avant que le sucre soit fondu: si l'ébullition commence trop vite, le sucre n'aura pas le temps de se dissoudre et vous retrouverez des cristaux dans le fond des bocaux.

6. Écumez les confitures, gelées et marmelades pendant la cuisson.

7. Pour éviter que les petits fruits ne remontent à la surface des confitures, on conseille de les laisser refroidir parfaitement et de les brasser avant de les empoter.

8. Laissez un espace libre de 1/4 po (1/2 cm) en haut du bocal afin d'empêcher le liquide de couler lorsque l'on ajoute la paraffine.

9. Couvrez la surface de la gelée d'une couche mince de paraffine. Une corde ou ficelle dépassant d'au moins 1 po (2,5 cm) de chaque côté est ensuite appliquée sur la première couche de paraffine chaude que l'on recouvre d'au moins 1 c. à table (1 c. à soupe) de paraffine chaude. Cette précaution permettra de soulever facilement la galette de paraffine sans recourir au couteau ou à tout autre instrument qui pourrait déguiser l'apparence de gel lors du service.

10. Fermez les récipients. Étiquetez. Enveloppez. Gardez dans un endroit frais, sec et à l'abri de la lumière.

CONFITURE DE BLEUETS *(myrtilles)*

INGRÉDIENTS

4 lb (2 kg) de bleuets
4 lb (2 kg) de sucre

PRÉPARATION

1. Lavez les bleuets.
2. Égouttez-les.
3. Enlevez les feuilles et les bleuets verts.
4. Déposez un rang de bleuets dans une casserole en fonte émaillée.
5. Saupoudrez un rang de sucre. Continuez ainsi jusqu'à épuisement des fruits et du sucre.
6. Laissez reposer toute une nuit.
7. Le lendemain, égouttez les fruits.
8. Faites bouillir le liquide jusqu'à ce qu'il soit épais.
9. Ajoutez les bleuets, faites mijoter environ 15 minutes.
10. Écumez pendant la cuisson.
11. Mettez dans des bocaux stérilisés et chauds.
12. Refroidissez.
13. Paraffinez.

CONFITURE À LA CITROUILLE

INGRÉDIENTS

4 lb (2 kg) ou 16 tasses (4 l) de citrouille
8 tasses (2 kg) de sucre
4 tasses (1 l) d'eau
Zeste et jus de 2 citrons et de 2 oranges

PRÉPARATION

1. Pelez et coupez la citrouille; enlevez les graines.
2. Coupez en petits cubes.
3. Étendez sur un linge au moins une nuit pour faire sécher.
4. Mettez le sucre et l'eau dans une casserole.
5. Faites bouillir 10 à 15 minutes.
6. Ajoutez la citrouille et le zeste.
7. Cuisez jusqu'à transparence et, en dernier, ajoutez les jus.

CONFITURE DE FRAISES

INGRÉDIENTS

   8 **tasses (1 kg) de fraises**
   8 **tasses (1 kg) de sucre**

PRÉPARATION

1. Lavez les fraises.
2. Égouttez.
3. Équeutez.
4. Déposez un rang de fraises dans une casserole en fonte émaillée ou en acier inoxydable.
5. Ajoutez un rang de sucre.
6. Continuez ainsi jusqu'à épuisement des fraises et du sucre.
7. Laissez reposer toute une nuit; le lendemain, faites cuire à feu doux jusqu'à ce que le sucre soit fondu puis faites bouillir jusqu'à ce que le thermomètre marque 220 °F (33 ° au pèse-sirop ou 104-105 °C).
8. Laissez refroidir dans le même récipient.
9. Remuez avant de verser dans des pots stérilisés.
10. Paraffinez.

CONFITURE DE FRAMBOISES

INGRÉDIENTS

- 8 tasses (1 kg) de framboises
- 6 tasses (750 g) de sucre
- 2 tasses (1/2 l) d'eau

PRÉPARATION

1. Faites bouillir le sucre et l'eau jusqu'à ce que le sirop fasse un fil.
2. Ajoutez les framboises.
3. Faites bouillir 10 minutes.
4. Laissez refroidir avant de verser dans des pots stérilisés.
5. Paraffinez.

CONFITURE DE FRAMBOISES ET DE GADELLES ROUGES

INGRÉDIENTS

- 8 tasses (1 kg) de framboises
- 4 tasses (500 g) de gadelles rouges
- 2 tasses (1/2 l) d'eau
- 8 tasses (1,5 kg) de sucre

PRÉPARATION

1. Placez le sucre et l'eau dans une casserole.
2. Amenez à ébullition en brassant.
3. Faites bouillir jusqu'à l'obtention d'un fil.
4. Ajoutez les framboises et les gadelles rouges.
5. Faites bouillir 10 minutes.
6. Laissez refroidir avant de verser dans des pots à confiture stérilisés.
7. Paraffinez.

CONFITURE DE FRAMBOISES ET DE POMMES

INGRÉDIENTS

8 tasses (1 kg) de pommes sûres, coupées en cubes
4 tasses (500 g) de framboises
6 tasses (1,2 kg) de sucre
2 tasses (1/2 l) d'eau

PRÉPARATION

1. Placez le sucre et l'eau dans une casserole.
2. Amenez à ébullition en brassant.
3. Faites bouillir le sucre et l'eau jusqu'à ce que le sirop fasse des fils.
4. Ajoutez les pommes pelées, coupées en petits cubes.
5. Faites mijoter 5 minutes.
6. Ajoutez les framboises.
7. Continuez la cuisson à feu vif pendant 10 minutes.
8. Refroidissez.
9. Mettez dans des pots à confiture.
10. Paraffinez.

CONFITURE DE KUMQUATS
(petites oranges spéciales)

INGRÉDIENTS

- 4 **tasses (500 g) de kumquats**
- 1/2 **tasse (125 ml) d'eau**
- 3 **tasses (500 g) de sucre**
- 1/4 **tasse (60 ml) de jus de citron**
- 8 **clous de girofle entiers**

PRÉPARATION

1. Faites bouillir l'eau, le sucre, le jus de citron et les clous de girofle pendant 5 minutes.
2. Ajoutez les kumquats et faites mijoter 20 minutes.
3. Enlevez les clous de girofle.
4. Versez dans des pots à confiture stérilisés.
5. Paraffinez.

CONFITURE DE MELON

INGRÉDIENTS

    4 lb (2 kg) de melon
1/2 lb (1,5 kg) de sucre
1/2 tasse (125 ml) d'eau
    2 citrons

PRÉPARATION

1. Tranchez les melons.
2. Enlevez la peau et les graines.
3. Coupez en petits cubes.
4. Laissez dans une casserole en acier inoxydable avec le sucre et l'eau toute une nuit.
5. Coulez.
6. Faites bouillir ce liquide avec les citrons finement tranchés, jusqu'à formation de fils.
7. Ajoutez les petits cubes de melon.
8. Faites mijoter jusqu'à ce que la confiture devienne transparente.
9. Empotez dans des bocaux stérilisés.
10. Paraffinez.

CONFITURE DE PETITES TOMATES JAUNES (poires)

INGRÉDIENTS

6 **tasses (1,5 kg) de petites tomates jaunes**
4 **tasses (800 g) de sucre granulé**
1 **tasse (1/4 l) d'eau**
2 **citrons tranchés finement**

PRÉPARATION

1. Lavez les petites tomates.
2. Plongez-les 2 minutes dans de l'eau bouillante.
3. Enlevez la peau.
4. Faites un sirop épais avec le sucre et l'eau, déposez les tomates.
5. Faites bouillir 5 minutes.
6. Coulez.
7. Ajoutez les tranches de citron au liquide.
8. Faites cuire à grande ébullition jusqu'à ce que le thermomètre marque 220 °F (33 ° au pèse-sirop ou 104-105 °C); à ce moment, ajoutez les tomates.
9. Faites bouillir jusqu'à ce qu'elles deviennent transparentes.
10. Versez dans des pots stérilisés.
11. Paraffinez.

CONFITURE DE POMMES AU CITRON

INGRÉDIENTS

2 citrons

10 grosses pommes
   Zeste des citrons
   2 tasses (400 g) de sucre

PRÉPARATION

1. Lavez les citrons.
2. Enlevez le zeste.
3. Extrayez les jus.
4. Râpez les pommes, mêlez-les au jus de citron.
5. Ajoutez le sucre et le zeste.
6. Faites cuire à feu doux dans une casserole émaillée jusqu'à ce que le sucre soit fondu.
7. Faites bouillir jusqu'à ce que les pommes deviennent transparentes.
8. Laissez refroidir.
9. Empotez.
10. Paraffinez.

CONFITURE DE POMMETTES *(crab-apple)*

INGRÉDIENT

2 pintes (1 kg) de pommettes
Eau
Sucre

PRÉPARATION

1. Lavez les pommettes (ne pas enlever les pédoncules).
2. Déposez dans un poêlon.
3. Recouvrez d'eau froide.
4. Mettez un couvercle pour empêcher que les fruits ne montent à la surface.
5. Faites cuire 10 minutes à feu moyen.
6. Retirez les pommettes.
7. Mesurez l'eau de cuisson.
8. Ajoutez pour chaque tasse de liquide, 1/2 tasse (125 g) de sucre.
9. Faites bouillir jusqu'à ce que le sucre soit fondu.
10. Ajoutez les pommettes.
11. Faites cuire à feu vif jusqu'à ce que le sirop devienne épais ou jusqu'à 220 °F (30 ° au pèse-sirop ou 105 °C).
12. Versez chaud dans des récipients stérilisés.
13. Paraffinez.

Cette confiture se sert avec des viandes froides. C'est délicieux et très apprécié en hiver.

CONFITURE DE POTIRON

INGRÉDIENTS

5 lb (2,5 kg) de potiron

5 lb (2,5 kg) de sucre

4 citrons

PRÉPARATION

1. Tranchez le potiron.
2. Enlevez les membranes et les graines. Pelez. Coupez en petits morceaux.
3. Pesez. Déposez dans une casserole émaillée avec le sucre.
4. Laissez reposer toute une nuit.
5. Coulez.
6. Faites bouillir ce liquide avec les citrons finement tranchés jusqu'à 240 °F (39 ° au pèse-sirop ou 116 °C).
7. Ajoutez les petits morceaux de potiron.
8. Faites mijoter jusqu'à ce que la confiture devienne transparente.
9. Empotez chaud dans des bocaux stérilisés.
10. Paraffinez.

CONFITURE DE PRUNES BLANCHES

INGRÉDIENTS

8 lb (4 kg) de prunes blanches
6 lb (3 kg) de sucre
4 tasses (1 l) d'eau

PRÉPARATION

1. Faites bouillir le sucre et l'eau jusqu'à la formation d'un sirop épais; à ce moment, ajoutez les prunes.
2. Laissez en ébullition 10 minutes.
3. Écumez.
4. Passez à travers un tamis.
5. Faites bouillir le sirop 10 minutes.
6. Ajoutez les prunes, continuez la cuisson jusqu'à ce que les fruits deviennent transparents.
7. Versez dans des bocaux.
8. Laissez refroidir.
9. Paraffinez.

CONFITURE DE PRUNES BLEUES

INGRÉDIENTS

8 tasses (1,5 kg) de prunes bleues
7 tasses (1,5 kg) de sucre
Le jus de 2 oranges
1 c. à table (1 c. à soupe) de zeste d'orange

PRÉPARATION

1. Lavez les prunes.
2. Coupez-les en deux.
3. Enlevez les noyaux.
4. Mesurez.
5. Déposez un rang de prunes dans une cocotte en fonte émaillée, un rang de sucre et ainsi de suite jusqu'à ce que le tout soit épuisé.
6. Laissez reposer quelques heures.
7. Faites cuire, à découvert, à petit feu, environ 20 minutes, en brassant souvent.
8. Ajoutez les jus d'orange et le zeste.
9. Continuez la cuisson 10 minutes.
10. Versez dans des bocaux de verre stérilisés.
11. Laissez refroidir.
12. Paraffinez.

CONFITURE DE PETITES TOMATES ROUGES (bijou)

INGRÉDIENTS

- 6 tasses (1,5 kg) de petites tomates bijou
- 4 tasses (750 g) de sucre
- 1 tasse (250 ml) d'eau
- 2 citrons tranchés finement

PRÉPARATION

1. Essuyer les petites tomates, plongez-les 2 minutes dans de l'eau bouillante (peu à la fois).
2. Enlevez la peau.
3. Faites un sirop épais avec le sucre et l'eau.
4. Ajoutez les petites tomates.
5. Faites bouillir 5 minutes.
6. Coulez.
7. Ajoutez les tranches de citron au liquide.
8. Faites bouillir jusqu'à ce que le sirop épaississe.
9. Ajoutez, à ce moment, les tomates.
10. Faites bouillir de nouveau jusqu'à ce qu'elles deviennent transparentes.
11. Versez dans des pots stérilisés.

CONFITURE DE RHUBARBE ET D'ANANAS

INGRÉDIENTS

12 tasses (2 kg) de rhubarbe

6 tasses (1,2 kg) d'ananas en conserve coupés en petits cubes

4 tasses (800 g) de sucre

PRÉPARATION

1. Lavez la rhubarbe.
2. Pelez-la.
3. Coupez en morceaux de 1 po (2,5 cm).
4. Étendez la rhubarbe sur 2 épaisseurs de coton à fromage.
5. Recouvrez également de coton à fromage.
6. Laissez sécher toute une nuit.
7. Placez la rhubarbe dans une casserole en fonte émaillée.
8. Ajoutez les ananas coupés en petits cubes, leur sirop et le sucre.
9. Faites mijoter jusqu'à épaississement, ce qui demande environ 1 heure.
10. Versez dans des bocaux stérilisés.
11. Paraffinez.
12. Fermez.

Les gelées

GELÉE DE BLEUETS

INGRÉDIENTS

8 tasses (1,75 kg) de bleuets mûrs
3 tasses (500 g) de bleuets non rendus à maturité
2 tasses (1/2 l) d'eau
Sucre

PRÉPARATION

1. Triez et lavez les bleuets.
2. Écrasez-les afin de libérer un peu de jus.
3. Ajoutez l'eau.
4. Faites bouillir 5 minutes.
5. Déposez cette purée sur un coton épinglé sur un plat.
6. Laissez égoutter toute une nuit.
7. Faites bouillir le jus jusqu'à ce qu'il ait diminué de moitié.
8. Mesurez le liquide.
9. Comptez 3/4 tasse (150 g) de sucre pour 1 tasse (1/4 l) de jus. Faites cuire en brassant jusqu'à ce que le sucre soit dissous.
10. Écumez.
11. Faites bouillir jusqu'à 220 °F (33 ° au pèse-sirop ou 104-105 °C) ou jusqu'à ce que la gelée nappe la cuillère.
12. Versez immédiatement dans des verres à gelée stérilisés.
13. Refroidissez.
14. Paraffinez.
15. Fermez.

GELÉE À LA MENTHE

INGRÉDIENTS

25 à 30 pommes
Eau
Sucre
12 branches de menthe fraîche
Colorant vert

PRÉPARATION

1. Lavez les pommes.
2. Enlevez les pédoncules.
3. Coupez-les en 4.
4. Couvrez-les d'eau froide.
5. Faites cuire jusqu'à ce que les fruits soient tendres.
6. Déposez cette purée sur un coton épinglé sur un plat pour les égoutter. Ne pressez pas.
7. Laissez égoutter toute une nuit.
8. Faites bouillir le jus jusqu'à ce qu'il ait diminué de moitié.
9. Mesurez le liquide.
10. Comptez 3/4 tasse (150 g) de sucre pour 1 tasse (250 ml) de jus.
11. Brassez jusqu'à ce que le sucre soit dissous.
12. Ajoutez 12 branches de menthe attachées ensemble.
13. Faites bouillir jusqu'à 220 °F (33 ° au pèse-sirop ou 104-105 °C) ou jusqu'à ce que la gelée nappe la cuillère.
14. Ajoutez le colorant vert.
15. Enlevez les branches de menthe.
16. Versez immédiatement dans des verres à gelée stérilisés.
17. Laissez refroidir.
18. Paraffinez.
19. Fermez.

GELÉE D'ATOCAS

INGRÉDIENTS

8 tasses (1,5 kg) d'atocas (airelles)
4 tasses (1 l) d'eau bouillante
4 tasses (1 kg) de sucre

PRÉPARATION

1. Triez et lavez les atocas, mettez-les dans une casserole en fonte émaillée.
2. Ajoutez l'eau.
3. Faites bouillir 10 minutes.
4. Passez à travers un tamis.
5. Faites bouillir ce liquide 3 minutes.
6. Ajoutez le sucre.
7. Brassez pour dissoudre.
8. Continuez l'ébullition 5 minutes.
9. Versez dans des verres à gelée.
10. Laissez refroidir.
11. Paraffinez.
12. Fermez.

GELÉE DE FRAMBOISES À LA PECTINE

INGRÉDIENTS

2 1/2 pintes (1,2 kg) de framboises
1/2 tasse (125 ml) d'eau
7 1/2 tasses (1,5 kg) de sucre
Jus de 1 citron
1 bouteille de pectine vendue dans le commerce

PRÉPARATION

1. Déposez les framboises dans un plat.
2. Ajoutez l'eau et le jus de citron.
3. Écrasez avec un pilon.
4. Mettez les fruits sur un coton épinglé sur un plat.
5. Laissez égoutter toute une nuit, ce qui donnera 4 tasses (1 l) de jus.
6. Mélangez le sucre au liquide.
7. Brassez pour dissoudre.
8. Amenez à ébullition, sur un feu vif.
9. Ajoutez la pectine liquide.
10. Faites bouillir à grande ébullition pendant 1 minute en remuant avec une cuillère de bois.
11. Écumez.
12. Versez la gelée chaude dans des verres stérilisés.
13. Laissez refroidir.
14. Paraffinez.
15. Fermez.

Note: Si on se sert de pectine vendue dans le commerce pour faire la gelée, il est à conseiller de suivre les instructions du fabricant.

GELÉE DE FRAMBOISES ET DE GADELLES ROUGES

INGRÉDIENTS

8 tasses (1 kg) de framboises
4 tasses (500 g) de gadelles rouges
Eau
Sucre

PRÉPARATION

1. Choisissez des framboises et des gadelles pas trop mûres.
2. Nettoyez-les.
3. Déposez dans une casserole en fonte émaillée.
4. Recouvrez d'eau.
5. Faites bouillir 10 minutes.
6. Déposez cette purée dans un sac à gelée.
7. Laissez égoutter toute une nuit.
8. Faites bouillir le jus pendant 10 minutes.
9. Mesurez le liquide.
10. Comptez 3/4 tasse (150 g) de sucre pour 1 tasse (1/4 l) de jus.
11. Brassez jusqu'à ce que le sucre soit dissous.
12. Faites bouillir jusqu'à 220 °F (33 ° au pèse-sirop ou 104-105 °C) ou jusqu'à ce que la gelée nappe la cuillère.
13. Écumez pendant la cuisson.
14. Versez immédiatement dans des verres à gelée stérilisés.
15. Laissez refroidir.
16. Paraffinez.
17. Fermez.

GELÉE DE POMMES

INGRÉDIENTS

25 à 30 pommes

PRÉPARATION

a) *Préparation du jus*

1. Lavez et coupez les pommes.
2. Laissez la pelure et le coeur.
3. Mettez de l'eau froide à égalité des fruits.
4. Cuisez en marmelade.
5. Quand les pommes sont cuites, déposez sur un coton épinglé sur un plat pour les égoutter. Ne pressez pas.

INGRÉDIENTS

2 tasses (1/2 l) de jus
1 1/2 à 2 tasses (350 à 400 g) de sucre

PRÉPARATION

b) *Cuisson du jus*

1. Mettez le jus dans une casserole, laissez bouillir 5 minutes.
2. Ajoutez le sucre.
3. Écumez 2 fois durant la cuisson.
4. Faites cuire jusqu'à 220 °F (33 ° au pèse-sirop ou 104-105 °C) ou bien jusqu'à ce que deux gouttes jumelles s'attachent à la cuiller.
5. Passez la gelée à travers une mousseline humide.
6. Versez dans des bocaux stérilisés.
7. Laissez refroidir.
8. Paraffinez.
9. Fermez.

GELÉE DE POMMETTES À LA PECTINE

INGRÉDIENTS

- 3 pintes (2,5 kg) de pommettes coupées en 4
- 6 1/2 tasses (1,7 l) d'eau
- 7 tasses (1,5 kg) de sucre
- 1/2 bouteille de pectine vendue dans le commerce

PRÉPARATION

1. Lavez les pommettes.
2. Enlevez les pédoncules.
3. Coupez en 4 (ne les pelez pas, n'enlevez pas les coeurs).
4. Déposez dans une casserole en acier inoxydable.
5. Ajoutez l'eau.
6. Faites mijoter 20 minutes.
7. Déposez les fruits sur un coton épinglé sur un plat.
8. Laissez égoutter toute une nuit.
9. Mélangez le sucre chauffé au four et le jus.
10. Amenez à ébullition sur feu vif.
11. Ajoutez la pectine liquide.
12. Faites bouillir à grande ébullition pendant 1 minute en remuant avec une cuillère de bois.
13. Écumez.
14. Versez dans des verres à gelée stérilisés.
15. Laissez refroidir.
16. Paraffinez
17. Fermez.

GELÉE DE RAISINS BLEUS À LA PECTINE

INGRÉDIENTS

     3 pintes (1,5 kg) de raisins bleus
     1 tasse (1/4 l) d'eau
 1/4 tasse (1/2 l) de jus de citron
     7 tasses (1,5 kg) de sucre
 1/2 bouteille de pectine vendue dans le commerce

PRÉPARATION

1. Enlevez le raisin des grappes.
2. Lavez.
3. Déposez dans une casserole.
4. Ajoutez l'eau et le jus de citron.
5. Écrasez au pilon.
6. Faites mijoter 15 minutes.
7. Déposez les fruits sur un coton épinglé sur un plat.
8. Laissez égoutter toute une nuit.
9. Mélangez le sucre au jus, brassez pour dissoudre.
10. Amenez à ébullition sur un feu vif.
11. Ajoutez la pectine liquide.
12. Faites bouillir à grande ébullition pendant 1 minute en remuant avec une cuillère de bois.
13. Écumez.
14. Versez la gelée chaude dans des verres stérilisés.
15. Laissez refroidir.
16. Paraffinez.
17. Mettez le couvercle.

Les marmelades

MARMELADE D'ABRICOTS

INGRÉDIENTS

4 lb (2 kg) d'abricots secs
Eau froide
Sucre

PRÉPARATION

1. Lavez les abricots, faites-les tremper toute une nuit dans suffisamment d'eau froide pour couvrir les fruits.
2. Faites bouillir dans la même eau environ 10 minutes.
3. Passez au mélangeur.
4. Ajoutez 3/4 tasse (180 g) de sucre par tasse (1/4 l) de pulpe.
5. Remettez à cuire doucement, en brassant, pour fondre le sucre, puis faites bouillir 15 minutes.
6. Versez dans des verres à gelée.
7. Laissez refroidir.
8. Paraffinez.

MARMELADE AUX 3 FRUITS

INGRÉDIENTS

3 **pamplemousses**
3 **citrons**
12 **oranges**
Eau
Sucre

PRÉPARATION

1. Lavez les fruits.
2. Pelez-les.
3. Coupez la pulpe en petits morceaux en rejetant les pépins et les membranes.
4. Enlevez la partie blanche des écorces (qui communique de l'amertume à la marmelade).
5. Taillez celles-ci en minces filets.
6. Ajoutez à la pulpe des 3 fruits.
7. Mesurez.
8. Ajoutez 3 fois la même quantité d'eau.
9. Laissez reposer toute une nuit.
10. Faites bouillir 12 minutes.
11. Laissez reposer encore 6 heures, faites ensuite mijoter jusqu'à ce que les fruits deviennent tendres.
12. Mesurez.
13. Mettez autant de sucre que de liquide.
14. Faites cuire jusqu'à ce que la marmelade se forme ou jusqu'à 220 °F (33 ° au pèse-sirop ou 104-105 °C).
15. Versez dans des verres stérilisés.
16. Paraffinez.
17. Versez une seconde couche de paraffine un peu plus épaisse.
18. Mettez le couvercle.

MARMELADE D'ANANAS

INGRÉDIENTS

  2 ananas
  Sucre

PRÉPARATION

1. Coupez les ananas en tranches.
2. Pelez-les.
3. Enlevez les parties dures.
4. Passez au hache-viande.
5. Mesurez la pulpe.
6. Ajoutez à chaque tasse (1/4 l) de liquide, 3/4 tasse (180 g) de sucre.
7. Laissez macérer toute une nuit.
8. Faites cuire à feu très doux jusqu'à ce que le sucre soit complètement fondu.
9. Faites mijoter jusqu'à une consistance épaisse ou jusqu'à 220 °F (33 ° au pèse-sirop ou 104-105 °C).
10. Laissez tiédir.
11. Empotez dans des verres stérilisés.

MARMELADE DE CITRONS

INGRÉDIENTS
12 citrons
Eau
Sucre

PRÉPARATION

1. Lavez les citrons.
2. Essuyez et pelez-les.
3. Enlevez la partie blanche.
4. Coupez la pulpe en petits morceaux en rejetant pépins et membranes.
5. Taillez le zeste de 6 citrons en minces filets en vous aidant de ciseaux.
6. Ajoutez à la pulpe.
7. Mesurez zeste et pulpe: pour chaque tasse (1/4 l), ajoutez 3 fois la même quantité d'eau.
8. Déposez le tout dans une cocotte en fonte émaillée.
9. Laissez reposer 12 heures.
10. Faites bouillir 15 minutes.
11. Laissez reposer 6 heures; ensuite, faites mijoter jusqu'à ce que les fruits deviennent tendres.
12. Mesurez.
13. Mettez autant de sucre que de liquide. Faites bouillir jusqu'à ce que la marmelade se forme ou jusqu'à 220 °F (33 ° au pèse-sirop ou 104-105 °C).
14. Laissez tiédir.
15. Empotez dans des verres stérilisés.
16. Paraffinez.

MARMELADE D'ORANGES

INGRÉDIENTS

12 oranges
Eau
Sucre

PRÉPARATION

1. Lavez les oranges.
2. Coupez en rondelles aussi minces que possible.
3. Enlevez les pépins et les membranes.
4. Pour chaque tasse (150 g) de fruits, ajoutez 1 1/2 tasse (3/8 l) d'eau.
5. Laissez reposer 12 heures.
6. Le lendemain, faites bouillir 10 minutes.
7. Laissez reposer 6 heures encore, ensuite faites mijoter jusqu'à ce que les fruits deviennent tendres.
8. Mesurez.
9. Ajoutez à chaque tasse (1/4 l) de liquide, 3/4 tasse (150 g) de sucre.
10. Faites bouillir jusqu'à 220 °F (33 ° au pèse-sirop ou 104-105 °C).
11. Laissez tiédir.
12. Empotez dans des verres stérilisés.
13. Paraffinez.

MARMELADE DE PAMPLEMOUSSES ET DE CITRONS

INGRÉDIENTS

6 pamplemousses
2 citrons
Eau
Sucre

PRÉPARATION

1. Lavez les pamplemousses et les citrons.
2. Pelez-les.
3. Enlevez la partie blanche.
4. Coupez la pulpe des fruits en petits morceaux en rejetant pépins et membranes.
5. Taillez le zeste de la moitié des agrumes, en minces filets, en vous aidant de ciseaux.
6. Ajoutez à la pulpe.
7. Mesurez: pour chaque tasse (150 g) de fruits, ajoutez 3 fois la même quantité d'eau (3/4 l).
8. Déposez le tout dans une cocotte en fonte émaillée.
9. Laissez reposer 12 heures.
10. Faites bouillir 15 minutes.
11. Laissez reposer 6 heures, faites ensuite mijoter jusqu'à ce que les fruits deviennent tendres.
12. Mesurez.
13. Mettez autant de sucre que de liquide.
14. Faites bouillir jusqu'à ce que la marmelade se forme ou jusqu'à 220 °F (33 ° au pèse-sirop ou 104-105 °C).
15. Laissez tiédir.
16. Empotez dans des verres stérilisés.
17. Paraffinez.

MARMELADE DE POIRES ET D'ANANAS

INGRÉDIENTS

12 poires fraîches
1 tasse (250 g) d'ananas déchiqueté
5 tasses (1,5 kg) de sucre
1 jus de citron
1 zeste de citron
1 c. à thé (1 c. à café) de gingembre en poudre

PRÉPARATION

1. Pelez.
2. Coupez les poires en 4.
3. Enlevez le coeur.
4. Coupez très finement.
5. Déposez dans une casserole en fonte émaillée.
6. Ajoutez l'ananas, le sucre, le jus, le zeste de citron et le gingembre.
7. Amenez au point d'ébullition, laissez mijoter environ 40 minutes.
8. Brassez souvent pendant la cuisson.
9. Empotez dans des verres stérilisés.
10. Paraffinez.

MARMELADE DE RHUBARBE

INGRÉDIENTS

12 tasses (2,5 kg) de rhubarbe
Le jus de 4 oranges
Le jus et le zeste de 2 citrons

PRÉPARATION

1. Lavez la rhubarbe.
2. Pelez-la.
3. Coupez en petits morceaux.
4. Mesurez 12 tasses (2,5 kg).
5. Mettez dans une casserole en fonte émaillée.
6. Ajoutez 10 tasses (2 kg) de sucre, les jus d'orange et de citron, ainsi que le zeste.
7. Portez à ébullition.
8. Laissez mijoter jusqu'à consistance de marmelade.
9. Laissez tiédir.
10. Empotez dans des verres stérilisés.
11. Paraffinez.

Les recettes pour utiliser et servir les conserves de fruits et de jus de fruits

BISCUITS À LA CUILLÈRE
À LA FARINE D'AVOINE

INGRÉDIENTS

1/4 tasse (60 g) de beurre
1/4 tasse (60 g) de graisse végétale
1/2 tasse (1/2 tasse à thé) de cassonade foncée
1 tasse (150 g) de farine tout usage
1 tasse (150 g) de farine d'avoine
2 à 4 c. à table (2 à 4 c. à soupe) d'eau chaude
1/2 c. à thé (1/2 c. à café) de soda à pâte
   (bicarbonate de soude)
1 c. à thé (1 c. à café) de zeste d'orange

PRÉPARATION

1. Crémez le gras et ajoutez graduellement la cassonade en brassant.
2. Ajoutez l'eau chaude.
3. Tamisez la farine, mesurez, ajoutez le soda à pâte et le sel.
4. Faites entrer le mélange de farine dans la première préparation.
5. En dernier, ajoutez la farine d'avoine et le zeste d'orange.
6. Déposez par cuillerée sur une tôle à biscuits.
7. Cuisez au four à 350 °F (180 °C) 10 à 12 minutes.

BISCUITS À LA MUSCADE

INGRÉDIENTS

1/4 tasse (60 g) de beurre
3/4 tasse (150 g) de sucre
  2 oeufs
  2 c. à table (2 c. à soupe) de miel chaud
  3 tasses (450 g) de farine tout usage
  1 c. à thé (1 c. à café) de poudre à pâte
1/2 c. à thé (1/2 c. à café) de soda à pâte
    (bicarbonate de soude)
1/2 c. à thé (1/2 c. à café) de muscade

PRÉPARATION

1. Crémez le beurre.
2. Ajoutez graduellement le sucre, les oeufs battus et le miel chaud.
3. Tamisez la farine, mesurez, ajoutez la poudre à pâte, le soda et la muscade.
4. Étendez cette pâte très mince.
5. Découpez-la à l'emporte-pièce.
6. Cuisez au four à 350 °F (180 °C) quelques minutes.

BISCUITS ROULÉS
À LA FARINE D'AVOINE

INGRÉDIENTS

   1 **tasse (150 g) de farine d'avoine fine**
   1 **tasse (150 g) de farine tout usage**
1/4 **tasse (50 g) de sucre**
1/4 **c. à thé (1/4 c. à café) de sel**
1/4 **c. à thé (1/4 c. à café) de soda à pâte**
    (bicarbonate de soude)
1/4 **tasse (60 g) de beurre fondu**
1/4 **tasse (1 dl) d'eau chaude**
   1 **oeuf**

PRÉPARATION

1. Mêlez parfaitement la farine d'avoine, la farine tout usage, le sucre, le sel et le soda à pâte.
2. Ajoutez le beurre fondu dans l'eau chaude.
3. Liez le tout avec l'oeuf battu.
4. Travaillez la pâte sur une planche enfarinée.
5. Façonnez des rouleaux.
6. Enveloppez de papier ciré.
7. Faites congeler.
8. Découpez en fines rondelles.
9. Faites cuire au four à 350 °F (180 °C).

BLANC-MANGER

INGRÉDIENTS

2 tasses (1/2 l) de lait
1/4 tasse (50 g) de sucre
1/4 tasse (25 g) de fécule de maïs
1/4 tasse (60 ml) d'eau froide
1/2 c. à thé (1/2 c. à café) de vanille

PRÉPARATION

1. Chauffez le lait.
2. Ajoutez le sucre et la fécule de maïs délayée avec de l'eau froide.
3. Faites bouillir 3 minutes en brassant.
4. Versez dans des coupes.

Vous pouvez servir ce blanc-manger chaud ou froid.

CRÈME AU TAPIOCA

INGRÉDIENTS

- 2 **tasses (1/2 l) de lait**
- 1/4 **tasse (4 c. à soupe) de tapioca minute**
- 1/4 **tasse (50 g) de sucre**
- 2 **oeufs**
- 1/4 **c. à thé (1/4 c. à café) de vanille**

PRÉPARATION

1. Chauffez le lait.
2. Ajoutez le tapioca en pluie.
3. Faites cuire jusqu'à ce qu'il soit transparent.
4. Ajoutez le sucre.
5. Battez les jaunes d'oeufs et réchauffez-les avec quelques cuillerées de tapioca.
6. Ajoutez à la préparation sans faire bouillir.
7. Incorporez les blancs d'oeufs montés en neige.
8. Parfumez à la vanille.
9. Versez dans des coupes.

Vous pouvez servir cette crème au tapioca chaude ou froide.

GELÉE IVOIRE

INGRÉDIENTS

2 tasses (1/2 l) de lait
1/4 tasse (50 g) de sucre
1 1/2 c. à table (1 1/2 c. à soupe) de gélatine
1/4 tasse (1/2 dl) d'eau froide
1/2 c. à thé (1/2 c. à café) de vanille

PRÉPARATION

1. Gonflez la gélatine à l'eau froide.
2. Chauffez le lait.
3. Ajoutez la gélatine gonflée.
4. Brassez pour dissoudre.
5. Ajoutez le sucre et la vanille.
6. Versez dans de petits moules huilés.
7. Démoulez au moment de servir.

GRAND'PÈRES AUX BLEUETS (ou myrtilles)

INGRÉDIENTS

1 tasse (150 g) de farine tout usage
2 c. à thé (2 c. à café) de poudre à pâte
1/4 c. à thé (1/4 c. à café) de sel
3 c. à table (45 g) de beurre
1/3 tasse (1 dl) de lait
1 bocal de bleuets en conserve (ou myrtilles)

PRÉPARATION

1. Tamisez la farine, mesurez et ajoutez la poudre à pâte et le sel.
2. Incorporez la matière grasse à l'aide de 2 couteaux.
3. Ajoutez le lait et mélangez vivement.
4. Faites tomber la pâte, par cuillerée, dans les bleuets chauffés au préalable, auxquels on a ajouté 2 fois leur volume d'eau et du sucre au goût.
5. Faites pocher jusqu'à ce que les grand'pères soient cuits.

PETITS GÂTEAUX VITE FAITS

INGRÉDIENTS

1/4 tasse (60 g) de beurre

1/2 tasse (100 g) de sucre fin

1 oeuf

1 1/2 tasse (225 g) de farine

2 c. à thé (2 c. à café) de poudre à pâte

1/4 c. à thé (1/4 c. à café) de sel

1/2 tasse (1/8 l) de lait

1/2 c. à thé (1/2 c. à café) de zeste de citron

PRÉPARATION

1. Crémez le beurre.
2. Ajoutez le sucre graduellement, puis l'oeuf et le zeste de citron.
3. Tamisez la farine, mesurez, ajoutez la poudre à pâte et le sel.
4. Faites entrer dans le premier mélange en alternant avec le lait.
5. Versez dans de petits moules à muffins graissés. Faites cuire au four à 375 °F (190 °C) 10 à 12 minutes.

MIEL ARTIFICIEL

INGRÉDIENTS

4 tasses (800 g) de sucre

1/4 tasse (4 c. à soupe) de sirop de maïs

1 tasse (1/4 l) d'eau bouillante

30 fleurs effeuillées de trèfle blanc

2 fleurs effeuillées de roses blanches

PRÉPARATION

1. Déposez le sucre, le sirop de maïs et l'eau bouillante dans une cocotte en fonte émaillée.
2. Ajoutez les pétales de trèfle blanc et de roses blanches.
3. Faites mijoter jusqu'à consistance de miel.
4. Coulez.
5. Versez dans des verres stérilisés.
6. Laissez refroidir.

   Mettez en réserve.

POUDING À LA RHUBARBE

INGRÉDIENTS

1/4 tasse (60 g) de graisse végétale
1/2 tasse (100 g) de sucre
1 oeuf
1 1/2 tasse (225 g) de farine tout usage
2 1/2 c. à thé (2 1/2 c. à café) de poudre à pâte
1/4 c. à thé (1/4 c. à café) de sel
1/2 tasse (125 ml) de lait
1 boîte de rhubarbe en conserve

PRÉPARATION

1. Crémez le gras.
2. Ajoutez graduellement le sucre en battant entre chaque addition.
3. Ajoutez l'oeuf en continuant de battre jusqu'à ce que le mélange soit léger.
4. Tamisez la farine, mesurez, ajoutez la poudre à pâte et le sel.
5. Faites entrer dans le premier mélange en alternant avec le lait.
6. Beurrez un moule en pyrex, versez le contenu d'une boîte de conserve de rhubarbe.
7. Sucrez au goût.
8. Recouvrez de pâte.
9. Faites cuire au four à 350 °F (180 °C) 25 à 30 minutes ou jusqu'à ce que ce soit presque doré.

RIZ AU LAIT À LA VANILLE

INGRÉDIENTS

2 1/2 tasses (200 g) de riz non cuit ou 10 oz (300 g) de riz cuit
1/2 tasse (125 ml) de lait
1/2 tasse (125 ml) de crème à 15 p. 100
1/3 tasse (75 g) de sucre
1 c. à thé (10 g) de beurre
3/4 c. à thé (3/4 c. à café) de vanille

PRÉPARATION

1. Faites cuire le riz, 20 minutes, dans de l'eau bouillante salée.
2. Égouttez.
3. Passez à l'eau froide.
4. Remettez dans la casserole.
5. Ajoutez le lait, la crème et le sucre.
6. Couvrez.
7. Faites cuire à feu doux environ 10 minutes en brassant de temps en temps.
8. Ajoutez le beurre et la vanille.

Servez chaud.

COCKTAIL AU JUS D'ATOCAS

INGRÉDIENTS

  1 **tasse (1/4 l) de jus d'atocas**
     Le jus de 2 citrons
1/4 **tasse (1/2 l) de sirop d'érable**
  1 **blanc d'oeuf**
  8 **oz (1/4 l) de rhum**

PRÉPARATION

1. Mettez dans un mélangeur les jus d'atocas et de citron, le sirop d'érable, le rhum et la glace concassée.
2. Brassez vigoureusement.

   Servez dans des verres à cocktail.

COCKTAIL AU JUS DE FRAMBOISE

INGRÉDIENTS

  1 **tasse (250 ml) de jus de framboises**
  1 **tasse (250 ml) de jus de pamplemousse**
1/4 **tasse (60 ml) de miel blanc**
  2 **tasses (1/2 l) de gin sec**
     Glace concassée

PRÉPARATION

1. Mettez dans un mélangeur les jus de framboise et de pample-mousse, le miel, le gin et la glace concassée.
2. Brassez vigoureusement.

   Servez dans des verres à cocktail.

PUNCH AU JUS DE RHUBARBE

INGRÉDIENTS

- 1 **bocal de jus de rhubarbe**
- 4 **tasses (1 l) d'eau**
- 1/2 **tasse (100 g) de sucre**
- 1/4 **tasse (60 ml) de jus de citron**
- 1 **grosse bouteille de *cream soda***

PRÉPARATION

1. Mettez le sucre et l'eau dans une casserole en fonte émaillée.
2. Brassez pour dissoudre.
3. Amenez à ébullition et faites bouillir 1 minute.
4. Laissez refroidir.
5. Ajoutez les jus de rhubarbe et de citron.
6. Versez ce liquide dans un bol à punch, à moitié rempli de gla-çons; ajoutez le *cream soda* au moment de servir.

PUNCH AU JUS DE RAISIN BLEU

INGRÉDIENTS

1 bocal de jus de raisin en conserve
Le jus de 2 citrons
Le jus de 4 oranges
8 tasses (2 l) d'eau
1 tasse (200 g) de sucre
Glaçons

PRÉPARATION

1. Déposez le sucre et l'eau dans une casserole en fonte émaillée.
2. Amenez à ébullition en brassant.
3. Faites bouillir 1 minute.
4. Laissez refroidir.
5. Ajoutez les jus de raisin, de citron et d'orange.
6. Versez ce liquide dans un grand bol à punch à moitié rempli de glaçons.

PUNCH AU JUS DE GADELLE ROUGE

INGRÉDIENTS

2 pintes (2 l) d'eau
1 tasse (200 g) de sucre
1 boîte de jus de gadelle
4 citrons
Glace concassée
1 bouteille de *ginger ale*

PRÉPARATION

1. Mettez le sucre et l'eau dans une casserole.
2. Brassez pour dissoudre le sucre.
3. Amenez à ébullition, laissez mijoter 5 minutes.
4. Refroidissez.
5. Ajoutez les jus de gadelle et de citron et la glace concassée.
6. Au moment de servir, ajoutez le *ginger ale.*

PUNCH AU JUS DE BLEUET *(myrtille)*

INGRÉDIENTS

- 1 **bocal de jus de bleuet**
- **Le jus de 2 citrons**
- **Le jus de 2 oranges (Vive le jus d'asperge!)**
- **Le jus de 1 lime**
- 8 **tasses (2 l) d'eau**
- 1 **tasse (200 g) de sucre (ou plus au goût)**

PRÉPARATION

1. Portez l'eau à ébullition.
2. Ajoutez le sucre.
3. Faites bouillir 1 minute.
4. Refroidissez.
5. Ajoutez les jus de bleuet, de citron, d'orange et de lime.
6. Réfrigérez.

Les marinades

Marinades

Les achards (relish), les catsups, les chutneys, les sauces chili sont des marinades préparées à base de légumes, de sucre, de vinaigre et d'épices.

Toutes ces préparations doivent être d'un goût agréable qui est le résultat d'un mélange de saveur acide, salée, sucrée et épicée obtenue par la cuisson.

Pour réussir ces spécialités et bien d'autres formules que nous donnons dans ce chapitre, il faut, comme pour les conserves et les confitures, observer certaines règles qui sont:

1. Choisissez des légumes et des fruits fermes et frais.
2. Suivez les instructions données dans ce livre pour faire la saumure (voir page 228).
3. Employez le gros sel ou le sel iodé (ces sels ne troublent pas la saumure).
4. Utilisez du vinaigre de bonne qualité. Si le vinaigre est trop faible, les marinades seront molles et ne se conserveront pas.
5. Achetez des épices tous les ans, parce que la saveur a tendance à s'émousser si vous les gardez trop longtemps en réserve.
6. Les épices à marinade, les clous de girofle, les grains de poivre, de moutarde et de céleri doivent être enfermés dans un coton à fromage.
7. Évitez de vous servir de casseroles autres que celles de fonte émaillée ou d'acier inoxydable parce que le vinaigre et le sel attaquent certaines cocottes fabriquées avec d'autres métaux.
8. Utilisez autant que possible de l'eau douce, non calcaire, pour faire les marinades.
9. Brassez les marinades avec une cuillère de bois; le bois n'est pas attaqué par le vinaigre et le sel; il est aussi mauvais conducteur de la chaleur.
10. Laissez un espace libre de 1/4 po (1/2 cm) au haut du bocal afin d'empêcher le liquide de couler lorsqu'on ajoute la paraffine.
11. Fermez les contenants. Étiquetez. Enveloppez. Gardez dans un endroit frais, sec et à l'abri de la lumière.

ACHARDS (relish)

INGRÉDIENTS

- 3 tasses (450 g) de concombres pelés et hachés
- 3 tasses (450 g) de tomates rouges coupées en morceaux
- 4 tasses (600 g) de grains de maïs sur épis
- 6 branches de céleri coupées finement
- 1 tasse (125 g) de piment vert haché
- 1 tasse (125 g) de piment rouge doux haché
- 2 c. à table (2 c. à soupe) de gros sel
- 1 1/2 c. à table (1 1/2 c. à soupe) de moutarde en poudre
- 2 c. à thé (2 c. à café) de curcuma (épice spéciale pour relish)
- 3 1/2 tasses (7/8 l) de vinaigre blanc
- 2 tasses (400 g) de cassonade

PRÉPARATION

1. Déposez tous les ingrédients hachés dans une casserole en fonte émaillée.
2. Faites bouillir à petit feu, à découvert, jusqu'à ce que la préparation épaississe, ce qui demande environ 1 heure. Brassez de temps à autre.
3. Versez dans des bocaux chauds stérilisés.
4. Laissez refroidir.
5. Paraffinez.
6. Fermez hermétiquement.

ACHARDS SUCRÉS *(relish)*

INGRÉDIENTS

- 12 tomates vertes
- 8 gros oignons blancs
- 3 piments verts
- 5 tasses (1,2 l) de vinaigre blanc
- 4 tasses (900 g) de sucre
- 1/4 tasse (1/16 l) d'épices à marinade
- 2 c. à thé (2 c. à café) de sel
- 1/2 c. à thé (1/2 c. à café) de poivre

PRÉPARATION

1. Pelez les oignons.
2. Passez-les au hachoir, ainsi que les tomates et les piments.
3. Déposez dans une casserole en fonte émaillée.
4. Ajoutez le vinaigre, le sel, le poivre et les épices à marinade enveloppées dans du coton à fromage.
5. Faites bouillir 45 minutes.
6. Ajoutez le sucre.
7. Continuez la cuisson en brassant presque continuellement jusqu'à consistance épaisse.
8. Enlevez les épices.
9. Mettez dans des bocaux stérilisés.
10. Paraffinez.
11. Fermez.

BETTERAVES AU VINAIGRE ÉPICÉ

INGRÉDIENTS

15 betteraves
Eau bouillante
Vinaigre blanc
1 c. à thé (1 c. à café) de thym
1 feuille de laurier
8 clous de girofle
8 grains de poivre

PRÉPARATION

1. Lavez les betteraves.
2. Faites cuire parfaitement à l'eau bouillante.
3. Pelez.
4. Tranchez. Mettez dans un bol.
5. Versez dessus le vinaigre chauffé au préalable avec les épices et les assaisonnements.
6. Laissez reposer toute une nuit.
7. Coulez et remettez le vinaigre à bouillir.
8. Versez sur les betteraves déposées dans des bocaux de verre stérilisés.
9. Fermez hermétiquement.

CATSUP AUX TOMATES COULÉES

INGRÉDIENTS

2 pintes (1,2 kg) de tomates mûres
2 oignons moyens
2 piments verts
2 1/2 tasses (625 ml) de vinaigre blanc
1 tasse (200 g) de sucre
1 c. à thé (1 c. à café) de cannelle
1/2 c. à thé (1/2 c. à café) de graines de moutarde
1 c. à table (1 c. à soupe) d'épices à marinade

PRÉPARATION

1. Passez tous les légumes au hache-viande.
2. Ajoutez le vinaigre.
3. Faites cuire jusqu'au point d'ébullition.
4. Ajoutez le sucre, la cannelle, les graines de moutarde et les épices à marinade.
5. Faites mijoter jusqu'à consistance d'une sauce épaisse.
6. Coulez, puis passez au mélangeur.
7. Versez dans des pots ou des bouteilles stérilisés.
8. Fermez hermétiquement.

CATSUP AUX TOMATES ET AUX FRUITS

INGRÉDIENTS

- 36 tomates mûres
- 12 pommes
- 10 pêches
- 10 poires
- 4 gros oignons
- 1 pied de céleri
- 1 c. à table (1 c. à soupe) de gros sel
- 1/4 tasse (60 ml) d'épices à marinade
- 1 pinte (1/2 l) de vinaigre blanc
- 3 tasses (600 g) de sucre

PRÉPARATION

1. Blanchissez les tomates et les pêches.
2. Passez à l'eau froide.
3. Coupez en morceaux.
4. Pelez les pommes et les poires.
5. Taillez en cubes.
6. Ajoutez les oignons tranchés finement et le céleri coupé en dés.
7. Déposez le tout dans une casserole en fonte émaillée.
8. Ajoutez le vinaigre, le sel et les épices à marinade (enveloppées dans du coton à fromage).
9. Faites bouillir 1 heure.
10. Ajoutez le sucre.
11. Continuez la cuisson en brassant presque continuellement jusqu'à une bonne consistance.
12. Enlevez les épices.
13. Mettez dans les bocaux de verre stérilisés.
14. Paraffinez.
15. Fermez hermétiquement.

CATSUP AUX TOMATES MÛRES

INGRÉDIENTS

24 tomates mûres
 6 pommes
 6 gros oignons
 1 gros pied de céleri
1/4 tasse (60 ml) d'épices à marinade (enveloppées dans du coton à fromage)
 2 c. à thé (2 c. à café) de sel
1/2 c. à thé (1/2 c. à café) de clou de girofle moulu
1/2 c. à thé (1/2 c. à café) de gingembre moulu
 2 tasses (1/2 l) de vinaigre blanc
 2 tasses (400 g) de sucre

PRÉPARATION

1. Blanchissez les tomates.
2. Passez à l'eau froide, pelez, coupez en morceaux.
3. Pelez les pommes.
4. Taillez en cubes.
5. Ajoutez les oignons finement tranchés et le céleri coupé en dés.
6. Déposez le tout dans une casserole en fonte émaillée.
7. Ajoutez les épices à marinade (enveloppées dans du coton à fromage), le sel, le clou de girofle, le gingembre et le vinaigre.
8. Faites bouillir 1 heure.
9. Ajoutez le sucre.
10. Continuez la cuisson en brassant presque continuellement jusqu'à consistance épaisse.
11. Enlevez les épices.
12. Mettez dans des bocaux de verre stérilisés. Paraffinez.
13. Fermez hermétiquement.

CATSUP AUX TOMATES MÛRES ET AUX PIMENTS

INGRÉDIENTS

- 24 **tomates mûres**
- 1 **pied de céleri**
- 10 **pommes**
- 4 **gros oignons blancs**
- 2 **piments verts**
- 1 **piment rouge doux**
- 2 **c. à table (2 c. à soupe) de gros sel**
- 1 **pinte (1 l) de vinaigre blanc**
- 24 **clous de girofle**
- 2 **tasses (400 g) de sucre**

PRÉPARATION

1. Blanchissez les tomates 2 minutes.
2. Passez à l'eau froide, pelez et coupez en morceaux.
3. Pelez les pommes.
4. Taillez en cubes.
5. Ajoutez les oignons tranchés minces, le céleri et les piments coupés en dés.
6. Faites cuire le tout dans une casserole en fonte émaillée avec le sel, le vinaigre, les clous de girofle (enveloppés dans un coton à fromage) et le sucre, jusqu'à ce que le catsup devienne épais.
7. Enlevez les clous de girofle.
8. Déposez dans des pots stérilisés.
9. Paraffinez.
10. Fermez hermétiquement.

CATSUP DÉLICIEUX

INGRÉDIENTS

20	tomates mûres
6	pommes
4	poires
1	gros pied de céleri
2	tasses (250 g) d'oignons blancs
2	tasses (400 g) de sucre
2	c. à table (2 c. à soupe) de gros sel
1	pinte (1 l) de vinaigre blanc
1/4	tasse (60 ml) d'épices à marinade

PRÉPARATION

1. Blanchissez les tomates à l'eau bouillante, passez-les à l'eau froide.
2. Pelez.
3. Coupez en morceaux.
4. Pelez les pommes et les poires; coupez-les également en morceaux, de même que le céleri et les oignons.
5. Faites cuire le vinaigre dans une marmite en fonte émaillée avec le sel et les épices enveloppées dans un coton à fromage.
6. Ajoutez le sucre.
7. Continuez la cuisson en brassant continuellement jusqu'à ce que la marinade devienne épaisse.
8. Déposez dans des bocaux de verre stérilisés.
9. Paraffinez.
10. Fermez hermétiquement.

CHOW-CHOW AUX TOMATES VERTES
(mélange)

INGRÉDIENTS

- 24 grosses tomates vertes
- 1/4 tasse (75 g) de gros sel
- 2 piments verts
- 2 piments rouges doux
- 3 oignons
- 1/2 chou moyen
- 6 tasses (1/5 kg) de vinaigre blanc
- 2 tasses (400 g) de sucre
- 2 c. à table (2 c. à soupe) de graines de céleri
- 1 c. à table (1 c. à soupe) de graines de moutarde
- 12 clous de girofle

PRÉPARATION

1. Lavez les tomates.
2. Passez-les au hachoir.
3. Couvrez-les de gros sel et laissez reposer 1 heure.
4. Mettez dans un sac à gelée.
5. Faites égoutter 12 heures.
6. Déposez les tomates égouttées dans une casserole en fonte émaillée.
7. Ajoutez les piments, les oignons et le demi-chou préalablement passés au hache-viande.
8. Ajoutez le vinaigre, le sucre et les épices (enveloppées dans du coton à fromage).
9. Faites cuire à découvert, en brassant souvent jusqu'à ce que les légumes soient tendres, ce qui demande environ 45 minutes.
10. Versez dans des bocaux chauds stérilisés.
11. Paraffinez.
12. Fermez hermétiquement.

CHUTNEY À LA RHUBARBE

INGRÉDIENTS

12 tasses (2 kg) de rhubarbe

1 tasse (125 g) d'oignon émincé

2 tasses (1/2 l) de vinaigre de cidre

2 tasses (400 g) de sucre

1 c. à thé (1 c. à café) de gingembre moulu

2 c. à thé (2 c. à café) de cannelle

2 c. à thé (2 c. à café) de sel

1/2 c. à thé (1/2 c. à café) de clou de girofle moulu

1/4 c. à thé (1/4 c. à café) de poivre de Cayenne

1 c. à table (1 c. à soupe) d'épices à marinade moulues

PRÉPARATION

1. Lavez la rhubarbe.
2. Coupez-la en dés.
3. Ajoutez les oignons émincés et le vinaigre.
4. Faites cuire à découvert dans une casserole en fonte émaillée pendant 15 minutes.
5. Ajoutez le reste des ingrédients.
6. Faites bouillir environ 45 minutes, jusqu'à ce que le chutney ait la consistance de marmelade.
7. Versez dans des bocaux stérilisés.
8. Laissez refroidir.
9. Paraffinez.
10. Fermez hermétiquement.

CHUTNEY AUX POMMES ET AUX PÊCHES

INGRÉDIENTS

- 8 tasses (1 kg) de pommes
- 10 tasses (1,25 kg) de pêches
- 4 tasses (500 g) de raisins frais, sans pépins
- 6 tasses (1,2 kg) de cassonade pâle
- 4 c. à thé (4 c. à café) de cannelle
- 2 c. à thé (2 c. à café) de clou de girofle moulu
- 1 c. à table (1 c. à soupe) de gros sel
- 1/4 c. à thé (1/4 c. à café) de poivre
- 3 tasses (3/4 l) de vinaigre de vin

PRÉPARATION

1. Pelez les pommes et les pêches.
2. Coupez-les en petits morceaux.
3. Ajoutez les raisins frais coupés en 4, puis le vinaigre, la cassonade, les épices moulues, le sel et le poivre.
4. Déposez dans une casserole en acier inoxydable tous les ingrédients.
5. Faites bouillir lentement en brassant souvent jusqu'à épaississement, ce qui demande environ 1 heure.
6. Versez dans des pots chauds stérilisés.
7. Laissez refroidir.
8. Paraffinez.
9. Fermez hermétiquement.

Cette marinade est excellente avec les viandes froides.

CHUTNEY AU MELON

INGRÉDIENTS

- 1 gros melon mûr
- 3 piments verts
- 1 piment rouge doux
- 2 tasses (400 g) de cassonade
- 1 pinte (1 l) de vinaigre de cidre
- 1 c. à table (1 c. à soupe) d'épices à marinade
- 1 c. à thé (1 c. à café) de poivre de Cayenne
- 2 c. à table (2 c. à soupe) de gros sel
- 2 gousses d'ail
- 1 tasse (125 g) de raisins secs, sans pépins
- 4 oz (125 g) de gingembre confit, coupé en dés

PRÉPARATION

1. Pelez le melon.
2. Enlevez les graines et la peau.
3. Coupez en cubes.
4. Lavez les piments, nettoyez et émincez.
5. Déposez dans une casserole en fonte émaillée avec la casso-nade, le vinaigre, le poivre de Cayenne, le sel, les raisins secs, le gingembre confit, les épices à marinade et les gousses d'ail enveloppées dans du coton à fromage.
6. Laissez mijoter le tout à découvert environ 90 minutes ou jusqu'à ce que le chutney devienne épais.
7. Enlevez les épices à marinade et les gousses d'ail.
8. Déposez dans des bocaux chauds stérilisés.
9. Laissez refroidir.
10. Paraffinez.
11. Fermez hermétiquement.

CHUTNEY AUX PRUNES BLANCHES ET AUX POMMES

INGRÉDIENTS

- 4 lb (2 kg) de prunes blanches dénoyautées
- 3 lb (1,5 kg) de pommes à cuire râpées
- 1 1/2 lb (750 g) d'oignons blancs coupés en rondelles
- 2 tasses (1/2 l) de vinaigre de cidre
- 2 lb (1 g) de sucre
- 1 lb (500 g) de cassonade
- 2 c. à thé (2 c. à café) de clou de girofle moulu
- 2 c. à thé (2 c. à café) de gingembre moulu
- 1 c. à table (1 c. à soupe) de quatre-épices moulues
- 2 c. à table (2 c. à soupe) de gros sel

PRÉPARATION

1. Lavez les prunes.
2. Coupez-les.
3. Enlevez les noyaux.
4. Pelez les pommes et râpez-les.
5. Tranchez les oignons.
6. Déposez ces ingrédients avec le vinaigre dans une casserole émaillée.
7. Portez à ébullition en brassant constamment avec une cuillère de bois.
8. Ajoutez tous les autres ingrédients.
9. Laissez mijoter à découvert environ 90 minutes ou jusqu'à ce que le chutney devienne épais.
10. Déposez dans des bocaux en verre stérilisés.
11. Laissez refroidir.
12. Paraffinez.
13. Fermez hermétiquement.

CORNICHONS AU FENOUIL *(dill pickle)*

INGRÉDIENTS

4 pintes (3 kg) de petits cornichons de 2 à 4 po (de 5 à 10 cm) de longueur
Eau froide pour couvrir
Fenouil (*dill*)
2 tasses (1/2 l) de vinaigre blanc
6 tasses (1,5 l) d'eau
1/2 tasse (60 g) de gros sel
1/4 tasse (60 ml) de graines de moutarde

PRÉPARATION

1. Lavez.
2. Brossez.
3. Faites tremper dans l'eau froide, pendant une nuit des petits concombres fraîchement cueillis.
4. Égouttez.
5. Déposez de petites branches de fenouil *(dill)* dans des bocaux de verre.
6. Tassez les petits concombres.
7. Mettez du fenouil sur le dessus.
8. Portez à ébullition le vinaigre, le sel et les graines de moutarde.
9. Laissez bouillir 10 minutes.
10. Refroidissez avant de remplir les pots.
11. Fermez hermétiquement.

Laissez reposer au frais au moins 4 semaines avant de servir.

CORNICHONS SALÉS

INGRÉDIENTS

   3 pintes (2 kg) de petits concombres de 2 à 3 po (5 à 7 cm) de longueur

3/4 tasse (225 g) de gros sel
   3 pintes (3,5 l) d'eau chaude
   1 1/2 tasse (200 g) de gros sel

PRÉPARATION

1. Lavez les cornichons (petits concombres) avec une brosse.
2. Mettez dans un pot en grès en alternant cornichons et sel.
3. Recouvrez avec la saumure préparée avec le sel dissous dans de l'eau chaude, puis refroidi.
4. Couvrez avec une planche de bois.
5. Placez un poids sur la planche pour permettre aux petits concombres de rester submergés.

Pour servir, faites tremper dans de l'eau froide en renouvelant l'eau plusieurs fois. Déposez dans des bocaux de verre. Couvrez de vinaigre blanc.

CORNICHONS SUCRÉS

INGRÉDIENTS

2 pintes (1,5 kg) de petits concombres

2 pintes (2 l) d'eau bouillante

1/2 tasse (150 g) de gros sel

4 tasses (1 l) de vinaigre de cidre

4 tasses (800 g) de cassonade

2 c. à table (2 c. à soupe) de clous de girofle

1 c. à table (1 c. à soupe) de graines de moutarde

1 c. à thé (1 c. à café) de graines de céleri

2 feuilles de laurier

PRÉPARATION

1. Lavez, brossez, rincez, égouttez et mesurez les petits concombres dans un bol.
2. Recouvrez de la saumure chaude préparée avec l'eau et le sel.
3. Laissez reposer 8 heures.
4. Égouttez.
5. Rincez dans plusieurs eaux.
6. Tassez les petits concombres dans des pots de verre.
7. Faites bouillir 10 minutes le vinaigre, la cassonade et les épices enveloppées dans un coton à fromage.
8. Remplissez les récipients de ce liquide bouillant.
9. Laissez refroidir.
10. Fermez hermétiquement.

HERBES SALÉES

INGRÉDIENTS

1 tasse (1/4 l) de ciboulette

1 tasse (1/4 l) de persil

1 tasse (1/4 l) de poireaux

1 tasse (1/4 l) de tiges d'échalote (ciboule)

2 tasses (1/2 l) de feuilles de céleri

1 tasse (1/4 l) de sarriette

1/4 tasse (1/16 l) de sauge

2 tasses (600 g) de gros sel

PRÉPARATION

1. Prenez des herbes fraîchement cueillies.
2. Lavez et hachez finement.
3. Épongez.
4. Déposez-les dans une jarre de grès ou dans un grand pot de verre, en alternant avec le sel.
5. Fermez hermétiquement.
6. Gardez au frais.

Faites tremper les herbes dans de l'eau froide avant d'aromatiser les soupes, les pommes de terre en purée, les farces et les rôtis de porc.

MARINADE AUX PIMENTS ROUGES

INGRÉDIENTS

12 gros piments rouges

2 tasses (1/2 l) d'eau froide

3 tasses (3/4 l) de vinaigre blanc

2 citrons coupés en 4

3 tasses (600 g) de sucre

PRÉPARATION

1. Lavez les piments.
2. Enlevez les graines et les membranes.
3. Passez-les au hache-viande.
4. Ajoutez l'eau froide.
5. Portez au point d'ébullition.
6. Égouttez.
7. Ajoutez le vinaigre et les citrons.
8. Faites cuire 30 minutes à feu doux.
9. Enlevez les morceaux de citron.
10. Ajoutez le sucre.
11. Faites bouillir environ 45 minutes, ou jusqu'à ce que le mélange devienne assez consistant.
12. Déposez dans des bocaux stérilisés.
13. Paraffinez.
14. Fermez hermétiquement.

MARINADE AUX PIMENTS ROUGES ET VERTS

INGRÉDIENTS

- 9 gros piments rouges
- 9 gros piments verts
- 6 gros oignons blancs
- 1/3 tasse (100 g) de gros sel
- 5 tasses (1,25 l) de vinaigre de cidre
- 3 tasses (600 g) de sucre

PRÉPARATION

1. Coupez une tranche sur les piments, enlevez les graines.
2. Tranchez finement les piments et les oignons.
3. Ajoutez le sel.
4. Laissez reposer 1 heure.
5. Égouttez parfaitement.
6. Mettez dans une casserole en fonte émaillée.
7. Ajoutez le vinaigre et le sucre. Faites mijoter pendant 1 heure.
8. Versez dans des pots stérilisés.
9. Paraffinez.
10. Fermez hermétiquement.

MARINADE AUX CONCOMBRES MÛRS

INGRÉDIENTS

3 pintes (2 kg) de concombres mûrs
3 gros oignons blancs
1/2 tasse (150 g) de gros sel
2 piments verts
1 piment rouge doux
Cubes de glace
3 tasses (3/4 l) de vinaigre blanc
3 tasses (600 g) de sucre
1 c. à thé (1 c. à café) de curcuma (*tumeric*)
1 c. à table (1 c. à soupe) de graines de moutarde
1 1/2 c. à thé (1 1/2 c. à café) de graines de céleri

PRÉPARATION

1. Pelez les concombres.
2. Enlevez les graines.
3. Coupez en petits cubes.
4. Coupez les oignons et les piments finement.
5. Déposez les légumes dans un plat.
6. Saupoudrez de sel.
7. Couvrez de cubes de glace.
8. Laissez reposer 4 heures.
9. Égouttez parfaitement.
10. Mettez dans une casserole en fonte émaillée.
11. Ajoutez le vinaigre, le sucre, le curcuma, les graines de moutarde et de céleri (enveloppées dans du coton à fromage).
12. Faites bouillir à petit feu, à découvert, en brassant souvent jusqu'à ce que la préparation épaississe, ce qui demande environ 1 heure.
13. Versez dans des bocaux chauds stérilisés.
14. Fermez hermétiquement.

MOUTARDE «MAISON»

INGRÉDIENTS

1/2 tasse (125 ml) de moutarde sèche
Crème à 15 p. 100

PRÉPARATION

1. Mettez la moutarde sèche dans un petit bol.
2. Délayez avec de la crème à 15 p. 100.
3. Versez dans des verres à moutarde.
4. Servez avec du jambon.

MOUTARDE DOUCE

INGRÉDIENTS

1 tasse (1/4 l) de moutarde sèche
2 c. à thé (2 c. à café) de sel
2 c. à table (2 c. à soupe) de sucre glace
1/4 c. à thé (1/4 c. à café) de poivre
Vinaigre de vin

PRÉPARATION

1. Déposez la moutarde sèche dans un bol.
2. Ajoutez le sel, le sucre et le poivre.
3. Délayez avec suffisamment de vinaigre de vin pour obtenir la consistance de la moutarde vendue dans le commerce.

OEUFS DANS LE VINAIGRE

INGRÉDIENTS

24 oeufs durs

1 c. à thé (1 c. à café) de graines de céleri

2 c. à thé (2 c. à café) de grains de poivre

1 feuille de laurier

6 tasses (1 1/2 l) de vinaigre blanc

3 tasses (3/4 l) d'eau

1 c. à table (1 c. à soupe) de sel

2 c. à thé (2 c. à café) de clous de girofle entiers

PRÉPARATION

1. Mettez les oeufs dans de l'eau froide.
2. Portez à ébullition.
3. Couvrez.
4. Enlevez du feu. Laissez les oeufs 35 minutes dans cette eau sans enlever le couvercle (les oeufs durs de cette façon se digèrent facilement).
5. Refroidissez.
6. Écaillez.
7. Mettez dans un grand bocal de verre.
8. Chauffez le vinaigre, l'eau et le sel.
9. Ajoutez les épices enveloppées dans un coton à fromage.
10. Laissez mijoter 15 minutes.
11. Refroidissez.
12. Enlevez les épices et versez le vinaigre sur les oeufs.

OIGNONS MARINÉS

INGRÉDIENTS

- 1 pinte (600 g) de petits oignons blancs *(silver skin)*
- 4 tasses (1 l) d'eau bouillante
- 1/3 tasse (6 c. à soupe) de gros sel
- 2 tasses (1/2 l) de vinaigre blanc
- 3/4 tasse (150 g) de sucre
- 1 bâton de cannelle

PRÉPARATION

1. Ébouillantez les oignons 1 minute.
2. Égouttez et couvrez d'eau froide.
3. Pelez-les sous l'eau, puis mettez-les dans de l'eau contenant des cubes de glace (ceci empêche la décoloration et les raffermit).
4. Coulez.
5. Recouvrez les petits oignons d'une saumure préparée avec l'eau bouillante et le sel.
6. Faites refroidir avant d'ajouter les oignons.
7. Laissez reposer 12 heures.
8. Rincez.
9. Faites bouillir le vinaigre, le sucre et le bâton de cannelle.
10. Ajoutez les oignons.
11. Faites bouillir 1 minute.
12. Déposez les oignons dans les bocaux de verre.
13. Recouvrez du mélange bouillant.
14. Fermez hermétiquement.

PICCALILLI

INGRÉDIENTS

 30 tomates vertes
1/2 tasse (150 g) de gros sel
  5 oignons moyens émincés
  5 piments verts
  1 pinte (1 l) de vinaigre blanc
  2 tasses (400 g) de sucre
  5 c. à table (5 c. à soupe) d'épices à marinade

PRÉPARATION

1. Lavez les tomates.
2. Tranchez-les.
3. Saupoudrez de sel.
4. Laissez reposer une nuit.
5. Égouttez.
6. Déposez dans une marmite en fonte émaillée.
7. Couvrez de vinaigre.
8. Ajoutez les oignons, les piments épépinés coupés en tranches minces, le sucre, les épices à marinade (enveloppées dans du coton à fromage).
9. Laissez mijoter environ 90 minutes en brassant souvent.
10. Retirez les épices.
11. Déposez dans des pots stérilisés.
12. Paraffinez.
13. Fermez hermétiquement.

POMMETTES AUX ÉPICES

INGRÉDIENTS

- 4 pintes (2 kg) de pommettes
- 3 tasses (3/4 l) de vinaigre blanc
- 5 tasses (1,25 kg) de sucre
- 4 bâtons de cannelle
- Clous de girofle

PRÉPARATION

1. Lavez les pommettes sans enlever les queues.
2. Enlevez la mouche (fleur séchée), remplacez-la par 1 clou de girofle.
3. Faites bouillir le vinaigre, le sucre et les bâtons de cannelle pendant 5 minutes.
4. Faites cuire les pommettes dans ce sirop épicé par petites quantités jusqu'à ce qu'elles soient tendres, ce qui demande environ 15 minutes.
5. Déposez les pommettes dans des pots stérilisés.
6. Remplissez de sirop épicé.
7. Fermez hermétiquement.

Ces pommettes sont délicieuses servies avec des viandes froides.

SAUCE CHILI AUX 4 FRUITS

INGRÉDIENTS

- 5 lb (2,5 kg) de tomates mûres
- 1 tasse (125 g) de pêches fraîches
- 1 tasse (125 g) de poires fraîches
- 2 tasses (250 g) de pommes
- 4 oignons
- 2 piments rouges doux
- 1 tasse (125 g) de raisins blancs frais, sans pépins
- 2 tasses (1/2 l) de vinaigre de cidre
- 1/2 tasse (300 g) de sucre
- 2 c. à table (2 c. à soupe) de gros sel
- 1/3 tasse (5 c. à soupe) d'épices à marinade

PRÉPARATION

1. Blanchissez les tomates et les pêches 2 minutes.
2. Passez à l'eau froide.
3. Pelez-les.
4. Coupez en morceaux.
5. Pelez les pommes et les poires. Taillez en dés.
6. Ajoutez les oignons et les piments coupés en cubes et les raisins divisés en 4.
7. Ajoutez le vinaigre, le sucre, le sel et les épices (enveloppées dans un coton à fromage).
8. Amenez à ébullition.
9. Faites cuire jusqu'à épaississement, environ 60 minutes. Enlevez les épices.
10. Versez dans des pots chauds stérilisés.
11. Laissez refroidir.
12. Fermez hermétiquement.

MOUTARDE FORTE

INGRÉDIENTS

    1 tasse (1/4 l) de moutarde sèche
    2 c. à table (2 c. à soupe) de sucre glace
    2 c. à thé (2 c. à café) de sel
1/4 c. à thé (1/4 c. à café) de poivre
1/3 tasse (6 c. à soupe) d'huile végétale
1/4 tasse (4 c. à soupe) de raifort râpé
Vinaigre de cidre

PRÉPARATION

1. Délayer la moutarde avec le vinaigre.
2. Ajoutez le sucre, le sel, le poivre et l'huile à salade en battant.
3. Incorporez le raifort râpé égoutté.
4. Versez dans des verres à moutarde.

Glossaire

ABATTIS

Pattes, cou, ailes, foie, gésier d'une volaille. Les abattis peuvent être apprêtés en ragoût, ou servir pour un bouillon destiné à corser la sauce d'une volaille.

BOUILLIR

Un liquide qui bout est un liquide chauffé qui forme à sa surface des bulles d'où s'échappe la vapeur. L'ébullition s'obtient plus rapidement si vous mettez un couvercle sur le récipient.

BARDES

Tranches de lard gras très minces dont on recouvre les viandes avant de les faire rôtir et dont on garnit aussi le fond des casseroles.

BARDER

Envelopper d'une mince tranche de lard frais une pièce de viande pour la nourrir de gras et l'empêcher de sécher durant la cuisson.

BLANCHIR

Passer les légumes et les viandes dans l'eau bouillante pour en enlever l'âcreté ou pour les nettoyer.

BOUQUET GARNI

Herbes potagères qui servent à aromatiser le bouillon et les sauces. Il se compose d'une branche de persil, d'une de thym et d'une de feuille de laurier.

CARAMEL

Sucre fondu sur feu vif; le laisser colorer peu à peu. Lorsqu'il est d'un rouge ambré, ajouter un peu d'eau et le remettre sur le feu; après quelques minutes d'ébullition, on obtiendra un beau caramel. On s'en sert pour colorer le consommé, les ragoûts et les sauces.

CLARIFIER

Opération qui consiste à rendre clair un bouillon. Les blancs d'oeufs sont employés à cet effet. (Méthode de clarification page 38.)

COUPERET

Sorte de lourde lame courte et tranchante à manche solide qui permet à la fois de désosser, de trancher et de découper. Il sert également pour aplatir les viandes.

CRÉMER

Défaire en crème, donner la consistante de la crème.

DÉGORGER

Mettre les viandes dans de l'eau froide additionnée de sel ou de vinaigre pour en faire sortir le sang et empêcher qu'elles noircissent.

DÉGRAISSER

Enlever la graisse du bouillon, des sauces ou des ragoûts.

DÉLAYER

Mélanger une substance compacte, la farine par exemple, avec du liquide. Il faut toujours verser du liquide froid et par petites quantités à la fois, en remuant, afin de ne pas faire de grumeaux.

DÉSOSSER

Ôter les os des viandes ou les arêtes des poissons.

ÉCAILLER

Enlever ou ouvrir les écailles.

ÉCUMER

Enlever, à l'aide d'une cuillère, la mousse qui se forme sur les liquides soumis à l'ébullition.

ÉGOUTTER

Action de retirer de l'eau des légumes ou des viandes cuits ou blanchis en les déposant sur des tamis ou des plaques à égoutter.

ÉPICE

Substance végétale aromatique servant à condimenter les mets. Les épices se trouvent en grand nombre et ont subi maints mélanges: épices au sel, quatre-épices; girofle, muscade, poivre et cannelle; épices de charcutier pour pâtés froids.

ENFARINER

Plonger dans la farine et enrober complètement.

FARCE

Chair de poisson, viande de boucherie, chair de gibier hachée ou pilée entrant dans la composition de maints apprêts culinaires: farces de poisson, à quenelle, à garnir, de pâté chaud ou froid, farces à saucisses diverses, farces à terrine, à galantine, etc.

FARCIR

Déposer de la farce à l'intérieur d'une volaille, d'un légume ou d'une cavité creusée dans une pièce de viande.

FÉCULE

Poudre d'amidon pur obtenue par broyage et lavage de certains végétaux (pommes de terre, riz, froment, châtaignes, marrons, haricots, lentilles, pois, fèves, etc.). Ce mot pris isolément désigne la fécule de pommes de terre.

FINES HERBES
Plantes aromatiques telles que persil, céleri, cerfeuil, thym, sauge, marjolaine, laurier, ciboulette, estragon, fenouil, basilic, romarin.

GRATIN
Mets qui se termine par une action du feu qui croûte et roussit sa surface. Généralement obtenu par addition ou saupoudrage de fromage.

HACHER
Rendre très menu, à l'aide d'un hachoir ou d'un couteau, de la chair, des légumes ou toute autre denrée alimentaire.

JULIENNE
Nom donné à un mélange de légumes coupés en fines lanières.

LARDER
Couvrir une pièce de viande de petits morceaux de lard.

LIER
Rendre une sauce plus épaisse au moyen de jaunes d'oeufs, de fécule, de farine.

MARINADE
Liquide condimenté dans lequel on fait baigner certaines viandes pour leur donner un goût de venaison, ou pour les conserver ou les attendrir. Les marinades se font cuites ou crues selon le temps et le volume des viandes qui y sont traitées.

MARINER
Laisser tremper la viande dans une préparation de sel, de poivre, de vinaigre ou d'huile pour l'attendrir et lui donner plus de saveur.

MARMELADE
Purée de pulpe de fruits à laquelle on ajoute les trois quarts de son poids de sucre.

MIJOTER
Cuire lentement à petit feu.

NAPPER
Recouvrir un mets d'une sauce. Non pour le dissimuler mais pour en enrober les formes qui restent dessinées sous cette couche.

PANNE
Graisse qui enveloppe les rognons et le filet de porc.

PASSER

Tamiser; filtrer; réduire les légumes en purée.

PAUPIETTE

Préparation consistant à tailler la chair par bandes, aplaties, ensuite assaisonnées, farcies, puis roulées, bordées, ficelées et cuites. Paupiettes de veau, de volaille, de faisan.

RÉDUCTION

Travail consistant à faire évaporer un fond, une sauce, afin de concentrer les sucs et lui donner plus de consistance.

REVENIR

Mettre l'aliment dans une casserole garnie de beurre très chaud ou d'huile pour lui faire prendre couleur.

RÉDUIRE

Diminuer le volume d'une sauce ou d'un jus par la cuisson. Pour faire réduire, il faut enlever le couvercle.

ZESTE

Partie extérieure colorée et parfumée de l'écorce d'orange, de citron, etc.

Index

Table des matières

Ouvrages parus chez les éditeurs du groupe Sogides

* Pour l'Amérique du Nord seulement
** Pour l'Europe seulement
Sans * pour l'Europe et l'Amérique du Nord

══ ANIMAUX ══

* **Art du dressage, L'**, Chartier Gilles
Bien nourrir son chat, D'Orangeville Christianz
Cheval, Le, Leblanc Michel
Chien dans votre vie, Le, Swan Marguerite
Éducation du chien de 0 à 6 mois, L', DeBuyser Dr Colette et Dr Dehasse Joël
Encyclopédie des oiseaux, Godfrey W. Earl
Guide de l'oiseau de compagnie, Le, Dr R. Dean Axelson
Mammifère de mon pays, Duchesnay St-Denis J. et Dumais Rolland
* **Mon chat, le soigner, le guérir**, D'Orangeville Christian
Observations sur les mammifères, Provencher Paul
Papillons du Québec, Les,Veilleux Christian et Prévost Bernard
Petite ferme, T.1,
Les animaux, Trait Jean-Claude
Vous et vos petits rongeurs, Eylat Martin
Vous et vos poissons d'aquarium, Ganiel Sonia
Vous et votre beagle, Eylat Martin

Vous et votre berger allemand, Eylat Martin
Vous et votre boxer, Herriot Sylvain
Vous et votre braque allemand, Eylat Martin
Vous et votre caniche, Shira Sav
Vous et votre chat de gouttière, Gadi Sol
Vous et votre chat tigré, Eylat Odette
Vous et votre chow-chow, Pierre Boistel
Vous et votre collie, Ethier Léon
Vous et votre cocker américain, Eylat Martin
Vous et votre dalmatien, Eylat Martin
Vous et votre doberman, Denis Paula
Vous et votre fox-terrier, Eylat Martin
Vous et votre husky, Eylat Martin
Vous et vos oiseaux de compagnie, Huard-Viau Jacqueline
Vous et votre schnauzer, Eylat Martin
Vous et votre setter anglais, Eylat Martin
Vous et votre siamois, Eylat Odette
Vous et votre teckel, Boistel Pierre
Vous et votre yorkshire, Larochelle Sandra

1

ARTISANAT/ARTS MÉNAGERS

Appareils électro-ménagers, Prentice-Hall du Canada
* **Art du pliage du papier**, Harbin Robert
Artisanat québécois, T.1, Simard Cyril
Artisanat québécois, T.2, Simard Cyril
Artisanat québécois, T.3, Simard Cyril
Artisanat québécois, T.4, Simard Cyril, Bouchard Jean-Louis
Bon Fignolage, Le, Arvisais Dolorès A.
Coffret artisanat, Simard Cyril
* **Construire des cabanes d'oiseaux**, Dion André
Construire sa maison en bois rustique, Mann D. et Skinulis R.
Crochet Jacquard, Le, Thérien Brigitte
Cuir, Le, Saint-Hilaire Louis et Vogt Walter
Dentelle, T.1, La, De Seve Andrée-Anne
Dentelle, T.2, La, De Seve Andrée-Anne
Dessiner et aménager son terrain, Prentice-Hall du Canada
Encyclopédie de la maison québécoise, Lessard Michel
Encyclopédie des antiquités, Lessard Michel
Entretien et réparation de la maison, Prentice-Hall du Canada
Guide du chauffage au bois, Flager Gordon
J'apprends à dessiner, Nassh Joanna
Je décore avec des fleurs, Bassili Mimi
J'isole mieux, Eakes Jon
Mécanique de mon auto, La, Time-Life
Outils manuels, Les, Prentice Hall du Canada
Petits appareils électriques, Prentice-Hall du Canada
Piscines, Barbecues et patio
Taxidermie, La, Labrie Jean
Terre cuite, Fortier Robert
Tissage, Le, Grisé-Allard Jeanne et Galarneau Germaine
Tout sur le macramé, Harvey Virginia L.
Trucs ménagers, Godin Lucille
Vitrail, Le, Bettinger Claude

ART CULINAIRE

À table avec soeur Angèle, Soeur Angèle
Art d'apprêter les restes, L', Lapointe Suzanne
Art de la cuisine chinoise, L', Chan Stella
Art de la table, L', Du Coffre Marguerite
Barbecue, Le, Dard Patrice
Bien manger à bon compte, Gauvin Jocelyne
Boîte à lunch, La, Lambert Lagacé Louise
Brunches & petits déjeuners en fête, Bergeron Yolande
100 recettes de pain faciles à réaliser, Saint-Pierre Angéline
Cheddar, Le, Clubb Angela
Cocktails & punchs au vin, Poister John
Cocktails de Jacques Normand, Normand Jacques
Coffret la cuisine
Confitures, Les, Godard Misette
Congélation de A à Z, La, Hood Joan
Congélation des aliments, Lapointe Suzanne
Conserves, Les, Sansregret Berthe
Cornichons, Ketchups et Marinades, Chesman Andrea
Cuisine au wok, Solomon Charmaine
Cuisine aux micro-ondes 1 et 2 portions, Marchand Marie-Paul
Cuisine chinoise, La, Gervais Lizette
* **Cuisine chinoise traditionnelle, La**, Chen Jean
* **Cuisine créative Campbell, La**, Cie Campbell
Cuisine de Pol Martin, Martin Pol
* **Cuisine du monde entier avec Weight Watchers**, Weight Watchers
Cuisine facile aux micro-ondes, Saint-Amour Pauline
Cuisine joyeuse de soeur Angèle, La, Soeur Angèle
Cuisine micro-ondes, La, Benoît Jehane
Cuisine santé pour les aînés, Hunter Denyse
Cuisiner avec le four à convection, Benoît Jehane
* **Cuisiner avec les champignons sauvages du Québec**, Leclerc Claire L.
Cuisinez selon le régime Scarsdale, Corlin Judith
Cuisinier chasseur, Le, Hugueney Gérard
Entrées chaudes et froides, Dard Patrice
Faire son pain soi-même, Murray Gill Janice
Faire son vin soi-même, Beaucage André
Fine cuisine aux micro-ondes, La, Dard Patrice
Fondues & flambées de maman Lapointe, Lapointe Suzanne
Fondues, Les, Dard Patrice
Menus pour recevoir, Letellier Julien
Muffins, Les, Clubb Angela
Nouvelle cuisine micro-ondes, La, Marchand Marie-Paul et Grenier Nicole
Nouvelle cuisine micro-ondes II, La, Marchand Marie-Paul et Grenier Nicole
Pâtés à toutes les sauces, Les, Lapointe Lucette
Patés et galantines, Dard Patrice
Pâtisserie, La, Bellot Maurice-Marie
Poissons et fruits de mer, Dard Patrice
Poissons et fruits de mer, Sansregret Berthe
Recettes au blender, Huot Juliette
Recettes canadiennes de Laura Secord, Canadian Home Economics Association
Recettes de gibier, Lapointe Suzanne
Recettes de maman Lapointe, Les, Lapointe Suzanne
Recettes Molson, Beaulieu Marcel
Robot culinaire, Le, Martin Pol
Salades des 4 saisons et leurs vinaigrettes, Dard Patrice
Salades, sandwichs, hors d'oeuvre, Martin Pol
Soupes, potages et veloutés, Dard Patrice

2

BIOGRAPHIES POPULAIRES

Daniel Johnson, T.1, Godin Pierre
Daniel Johnson, T.2, Godin Pierre
Daniel Johnson - Coffret, Godin Pierre
Dans la fosse aux lions, Chrétien Jean
* Dans la tempête, Lachance Micheline
Duplessis, T.1 - L'ascension, Black Conrad
Duplessis, T.2 - Le pouvoir, Black Conrad
Duplessis - Coffret, Black Conrad
Dynastie des Bronfman, La, Newman Peter C.
Establishment canadien, L', Newman Peter C.
* Léonard de Vinci, L'homme et son temps, Alberti de
  Mazzeri Sylvia
* Maître de l'orchestre, Le, Nicholson Georges

Maurice Richard, Pellerin Jean
* Monopole, Le, Francis Diane
Mulroney, Macdonald L.I.
Nouveaux Riches, Les, Newman Peter C.
* Paul Desmarais , Un homme et son empire, Greber
  Dave
Prince de l'Église, Le, Lachance Micheline
Saga des Molson, La, Woods Shirley
Sous les arches de McDonald's, Love John F.
* Trétiak, entre Moscou et Montréal, Trétiak Vladislav
* Une femme au sommet - Son excellence Jeanne
  Sauvé, Woods Shirley E.

DIÉTÉTIQUE

Combler ses besoins en calcium, Hunter Denyse
* Compte-calories, Le, Brault-Dubuc M., Caron
  Lahaie L.
Contrôlez votre poids, Ostiguy Dr Jean-Paul
* Cuisine sage, Lambert-Lagacé Louise
* Diète rotation, La, Katahn Dr Martin
Diététique dans la vie quotidienne, Lambert-Lagacé
  Louise
Livre des vitamines, Le, Mervyn Leonard
* Maigrir en santé, Hunter Denyse
* Menu de santé, Lambert-Lagacé Louise
Oubliez vos allergies, et... bon appétit, Association
  de l'information sur les allergies
Petite & grande cuisine végétarienne, Bédard
  Manon

* Plan d'attaque Weight Watchers, Le, Nidetch Jean
Plan d'attaque plus Weight Watchers, Le, Nidetch
  Jean
Recettes pour aider à maigrir, Ostiguy Dr Jean-Paul
* Régimes pour maigrir, Beaudoin Marie-Josée
Sage bouffe de 2 à 6 ans, La, Lambert-Lagacé
  Louise
Weight Watchers - cuisine rapide et savoureuse,
  Weight Watchers
Weight Watchers-Agenda 85 -Français, Weight
  Watchers
Weight Watchers-Agenda 85 -Anglais, Weight
  Watchers

DIVERS

* Acheter ou vendre sa maison, Brisebois Lucille
* Acheter et vendre sa maison ou son condominium,
  Brisebois Lucille
* Acheter une franchise, Levasseur Pierre
* Assemblés délibérantes, Les, Girard Françine,
* Bourse, La, Brown Mark
* Chaînes stéréophoniques, Les, Poirier Gilles
* Choix de carrières, T.1, Milot Guy
* Choix de carrières, T.2, Milot Guy
* Choix de carrières, T.3, Milot Guy
* Comment rédiger son curriculum vitae, Brazeau
  Julie
* Comprendre le marketing, Levasseur Pierre
Conseils aux inventeurs, Robic Raymond
* Devenir exportateur, Levasseur Pierre
* Dictionnaire économique et financier, Lafond
  Eugène
Étiquette des affaires, L', Jankovic Elena
* Faire son testament soi-même, Me Poirier Gérald,
  Lescault Nadeau Martine (notaire)
* Faites fructifier votre argent, Zimmer Henri B.
Finances, Les, Hutzler Laurie H.
* Gérer ses ressources humaines, Levasseur Pierre
* Gestionnaire, Le, Colwell Marian
* Guide de la haute-fidélité, Le, Prin Michel
* Je cherche un emploi, Brazeau Julie
* Lancer son entreprise, Levasseur Pierre

Leadership, Le, Cribbin, James J.
Livre de l'étiquette, Le, Du Coffre Marguerite
* Loi et vos droits, La, Marchand Me Paul-Émile
Meeting, Le, Holland Gary
Mémo, Le, Reimold Cheryl
Notre mariage (étiquette et planification), Du
  Coffre Marguerite
Patron, Le, Reimold Cheryl
Relations publiques, Les, Doin Richard, Lamarre
  Daniel
* Règles d'or de la vente, Les, Kahn George N.
* Roulez sans vous faire rouler, T.3, Edmonston
  Philippe
Savoir vivre aujourd'hui, Fortin Jacques Marcelle
Séjour dans les auberges du Québec, Cazelais
  Normand et Coulon Jacques
Stratégies de placements, Nadeau Nicole
Temps des fêtes au Québec, Le, Montpetit Raymond
Tenir maison, Gaudet-Smet Françoise
* Tout ce que vous devez savoir sur le condominium,
  Dubois Robert
Univers de l'astronomie, L', Tocquet Robert
Vente, La, Hopkins Tom
* Votre argent, Dubois Robert
Votre système vidéo, Boisvert Michel et Lafrance
  André A.
* Week-end à New York, Tavernier-Cartier Lise

3

ENFANCE

* **Aider son enfant en maternelle,** Pedneault-Pontbriand Louise
* **Aider votre enfant à lire et à écrire,** Doyon-Richard Louise
* **Alimentation futures mamans,** Gougeon Réjeanne et Sekely Trude
* **Années clés de mon enfant, Les,** Caplan Frank et Theresa
* **Art de l'allaitement maternel, L',** Ligue internationale La Leche
* **Autorité des parents dans la famille,** Rosemond John K.
* **Avoir des enfants après 35 ans,** Robert Isabelle
* **Bientôt maman,** Whalley J., Simkin P. et Keppler A.
* **Comment amuser nos enfants,** Stanké Louis
* **Comment nourrir son enfant,** Lambert-Lagacé Louise
* **Deuxième année de mon enfant, La,** Caplan Frank et Theresa
* **Développement psychomoteur du bébé,** Calvet Didier
* **Douze premiers mois de mon enfant, Les,** Caplan Frank
* **En attendant notre enfant,** Pratte-Marchessault Yvette
* **Encyclopédie de la santé de l'enfant,** Feinbloom Richard
* **Enfant stressé, L',** Elkind David
* **Enfant unique, L',** Peck Ellen
* **Évoluer avec ses enfants,** Gagné Pierre Paul

* **Exercices aquatiques pour les futures mamans,** Dussault J., Demers C.
* **Femme enceinte, La,** Bradley Robert A.
* **Fille ou garçon,** Langendoen Sally et Proctor William
* **Frères-soeurs,** Mcdermott Dr. John F. Jr.
* **Futur Père,** Pratte-Marchessault Yvette
* **Jouons avec les lettres,** Doyon-Richard Louise
* **Langage de votre enfant, Le,** Langevin Claude
* **Maman et son nouveau-né, La,** Sekely Trude
* **Manuel Johnson et Johnson des premiers soins, Le,** Dr Rosenberg Stephen N.
* **Massage des bébés, Le,** Auckette Amédia D.
* **Merveilleuse histoire de la naissance, La,** Gendron Dr Lionel
* **Mon enfant naîtra-t-il en bonne santé?** Scher Jonathan et Dix Carol
* **Pour bébé, le sein ou le biberon?** Pratte-Marchessault Yvette
* **Pour vous future maman,** Sekely Trude
* **Préparez votre enfant à l'école,** Doyon-Richard Louise
* **Psychologie de l'enfant,** Cholette-Pérusse Françoise
* **Respirations et positions d'accouchement,** Dussault Joanne
* **Soins de la première année de bébé,** Kelly Paula
* **Tout se joue avant la maternelle,** Ibuka Masaru
* **Un enfant naît dans la chambre de naissance,** Fortin Nolin Louise
* **Viens jouer,** Villeneuve Michel José
* **Vivez sereinement votre maternité,** Vellay Dr Pierre
* **Vivre une grossesse sans risque,** Fried Dr Peter A.

ÉSOTÉRISME

Coffret - Passé - Présent - Avenir
Graphologie, La, Santoy Claude
Hypnotisme, L', Manolesco Jean
Lire dans les lignes de la main, Morin Michel

Prévisions astrologiques 1985, Hirsig Huguette
Vos rêves sont des miroirs, Cayla Henri
* **Votre avenir par les cartes,** Stanké Louis

HISTOIRE

Arrivants, Les, Collectif
* **Civilisation chinoise, La,** Guay Michel

* **Or des cavaliers thraces, L',** Palais de la civilisation

INFORMATIQUE

* **Découvrir son ordinateur personnel,** Faguy François
Guide d'achat des micro-ordinateurs, Le, Blanc Pierre

Informatique, L', Cone E. Paul

4

JARDINAGE

Culture des fleurs, des fruits, Prentice-Hall du Canada
Encyclopédie du jardinier, Perron W.H.
Guide complet du jardinage, Wilson Charles
* **J'aime les rosiers,** Pronovost René
J'aime les violettes africaines, Davidson Robert

Petite ferme, T. 2 - Jardin potager, Trait Jean-Claude
Plantes d'intérieur, Les, Pouliot Paul
Techniques du jardinage, Les, Pouliot Paul
* **Terrariums, Les,** Kayatta Ken

JEUX/DIVERTISSEMENTS

Améliorons notre bridge, Durand Charles
* **Bridge, Le,** Beaulieu Viviane
Clés du scrabble, Les, Sigal Pierre A.
Collectionner les timbres, Taschereau Yves
* **Dictionnaire des mots croisés, noms communs,** Lasnier Paul
* **Dictionnaire des mots croisés, noms propres,** Piquette Robert
* **Dictionnaire raisonné des mots croisés,** Charron Jacqueline

Finales aux échecs, Les, Santoy Claude
Jeux de société, Stanké Louis
* **Jouons ensemble,** Provost Pierre
Livre des patiences, Le, Bezanovska M. et Kitchevats P.
* **Ouverture aux échecs,** Coudari Camille
Scrabble, Le, Gallez Daniel
Techniques du billard, Morin Pierre

LINGUISTIQUE

* **Anglais par la méthode choc, L',** Morgan Jean-Louis
* **J'apprends l'anglais,** Silicani Gino

Petit dictionnaire du joual, Turenne Auguste
Secrétaire bilingue, La, Lebel Wilfrid

LIVRES PRATIQUES

Bonnes idées de maman Lapointe, Les, Lapointe Lucette
Chasse-taches, Le, Cassimatis Jack
* **Maîtriser son doigté sur un clavier,** Lemire Jean-Paul

* **Mon automobile,** Collège Marie-Victorin, Gouv. du Québec
* **Se protéger contre le vol,** Kabundi Marcel et Normandeau André
Temps c'est de l'argent, Le, Davenport Rita

MUSIQUE ET CINÉMA

* **Guitare, La,** Collins Peter
Piano sans professeur, Le, Evans Roger

Wolfgang Amadeus Mozart raconté en 50 chefs-d'oeuvre, Roussel Paul

NOTRE TRADITION

Coffret notre tradition Écoles de rang au Québec, Les, Dorion Jacques
Encyclopédie du Québec, T.1, Landry Louis
Encyclopédie du Québec, T.2, Landry Louis
* **Généalogie, La,** Faribeault- Beauregard M., Beauregard Malak E.
Histoire de la chanson québécoise, L'Herbier Benoît
Maison traditionnelle, La, Lessard Micheline

Moulins à eau de la vallée du Saint-Laurent, Adam Villeneuve
Objets familiers de nos ancêtres, Genet Nicole
* **Sculpture ancienne au Québec, La,** Porter John R. et Bélisle Jean
Vive la compagnie, Daigneault Pierre

PHOTOGRAPHIE (ÉQUIPEMENT ET TECHNIQUE)

* Apprenez la photographie avec Antoine Desilets, Desilets Antoine
Chasse photographique, Coiteux Louis
8/Super 8/16, Lafrance André
Initiation à la Photographie, London Barbara
Initiation à la Photographie-Canon, London Barbara
Initiation à la Photographie-Minolta, London Barbara

Initiation à la Photographie-Nikon, London Barbara
Initiation à la Photographie-Olympus, London Barbara
Initiation à la Photographie-Pentax, London Barbara
* Je développe mes photos, Desilets Antoine
* Je prends des photos, Desilets Antoine
* Photo à la portée de tous, Desilets Antoine
Photo guide, Desilets Antoine

PSYCHOLOGIE

Âge démasqué, L', De Ravinel Hubert
* Aider mon patron à m'aider, Houde Eugène
* Amour de l'exigence à la préférence, Auger Lucien
Au-delà de l'intelligence humaine, Pouliot Élise
Auto-développement, L', Garneau Jean
Bonheur au travail, Le, Houde Eugène
Bonheur possible, Le, Blondin Robert
Chimie de l'amour, La, Liebowitz Michael
Coeur à l'ouvrage, Le, Lefebvre Gérald
Coffret psychologie moderne Colère, La, Tavris Carol
* Comment animer un groupe, Office Catéchèsse
* Comment avoir des enfants heureux, Azerrad Jacob
* Comment déborder d'énergie, Simard Jean-Paul
Comment vaincre la gêne, Catta Rene-Salvator
* Communication dans le couple, La, Granger Luc
* Communication et épanouissement personnel, Auger Lucien
Comprendre la névrose et aider les névrosés, Ellis Albert
* Contact, Zunin Nathalie
* Courage de vivre, Le, Kiev Docteur A.
Courage et discipline au travail, Houde Eugène
Dynamique des groupes, Aubry J.-M. et Saint-Arnaud Y.
Élever des enfants sans perdre la boule, Auger Lucien
* Émotivité et efficacité au travail, Houde Eugène
Enfant paraît... et le couple demeure, L', Dorman Marsha et Klein Diane
Enfants de l'autre, Les, Paris Erna
* Être soi-même, Corkille Briggs D.
* Facteur chance, Le, Gunther Max
* Fantasmes créateurs, Les, Singer Jérôme
Infidélité, L', Leigh Wendy
Intuition, L', Goldberg Philip
* J'aime, Saint-Arnaud Yves
Journal intime intensif, Progoff Ira
Miracle de l'amour, Un, Kaufman Barry Neil
* Mise en forme psychologique, Corrière Richard

* Parle-moi... J'ai des choses à te dire, Salome Jacques
Penser heureux, Auger Lucien
* Personne humaine, La, Saint-Arnaud Yves
* Plaisirs du stress, Les, Hanson Dr Peter G.
* Première impression, La, Kleinke Chris, L.
Prévenir et surmonter la déprime, Auger Lucien
* Prévoir les belles années de la retraite, D. Gordon Michael
* Psychologie dans la vie quotidienne, Blank Dr Léonard
* Psychologie de l'amour romantique, Braden Docteur N.
* Qui es-tu grand-mère? Et toi grand-père? Eylat Odette
* S'affirmer et communiquer, Beaudry Madeleine
* S'aider soi-même, Auger Lucien
* S'aider soi-même d'avantage, Auger Lucien
* S'aimer pour la vie, Wanderer Dr Zev
* Savoir organiser, savoir décider, Lefebvre Gérald
* Savoir relaxer et combattre le stress, Jacobson Dr Edmund
* Se changer, Mahoney Michael
* Se comprendre soi-même par des tests, Collectif
* Se concentrer pour être heureux, Simard Jean-Paul
Se connaître soi-même, Artaud Gérard
* Se contrôler par le biofeedback, Ligonde Paultre
* Se créer par la Gestalt, Zinker Joseph
* S'entraider, Limoges Jacques
* Se guérir de la sottise, Auger Lucien
Séparation du couple, La, Weiss Robert S.
Sexualité au bureau, La, Horn Patrice
Syndrome prémenstruel, Le, Shreeve Dr Caroline
* Vaincre ses peurs, Auger Lucien
Vivre à deux: plaisir ou cauchemar, Duval Jean-Marie
* Vivre avec sa tête ou avec son coeur, Auger Lucien
Vivre c'est vendre, Chaput Jean-Marc
* Vivre jeune, Waldo Myra
* Vouloir c'est pouvoir, Hull Raymond

6

ROMANS/ESSAIS

Adieu Québec, Bruneau André
Baie d'Hudson, La, Newman Peter C.
Bien-pensants, Les, Berton Pierre
Bousille et les justes, Gélinas Gratien
  Coffret Joey
C.P., Susan Goldenberg
Commettants de Caridad, Les, Thériault Yves
Deux Innocents en Chine Rouge, Hébert Jacques
* Dieu ne joue pas aux dés, Laborit Henri
Dome, Jim Lyon
* Frères divorcés, Les, Godin Pierre
IBM, Sobel Robert
Insolences du Frère Untel, Les, Untel Frère
ITT, Sobel Robert
J'parle tout seul, Coderre Emile

Lamia, Thyraud de Vosjoli P.L.
Mensonge amoureux, Le, Blondin Robert
Nadia, Aubin Benoît
Oui, Lévesque René
Premiers sur la lune, Armstrong Neil
* Rick Hansen, Vivre sans frontières, Hansen Rick,
  Taylor Jim
* Sur les ailes du temps (Air Canada), Smith Philip
Telle est ma position, Mulroney Brian
Terrosisme québécois, Le, Morf Gustave
* Trois semaines dans le hall du Sénat, Hébert
  Jacques
Un doux équilibe, King Annabelle
* Un second souffle, Hébert Diane
Vrai visage de Duplessis, Le, Laporte Pierre

SANTÉ ET ESTHÉTIQUE

* Ablation de la vésicule biliaire, L', Paquet Jean-
  Claude
* Ablation des calculs urinaires, L', Paquet Jean-
  Claude
* Ablation du sein, L', Paquet Jean-Claude
Allergies, Les, Delorme Dr Pierre
Art de se maquiller, L', Moizé Alain
* Bien vivre sa ménopause, Gendron Dr Lionel
Cellulite, La, Ostiguy Dr Jean-Paul
Cellulite, La, Léonard Dr Gérard J.
* Chirurgie vasculaire, La, Paquet Jean-Claude
* Dialyse et la greffe du rein, La, Paquet Jean-Claude
Être belle pour la vie, Meredith Bronwen
Exercices pour les aînés, Godfrey Dr Charles,
  Feldman Michael
Face lifting par l'exercice, Le, Runge Senta Maria
Grandir en 100 exercises, Berthelet Pierre
Hystérectomie, L', Alix Suzanne
* Malformations cardiaques congénitales, Les,
  Paquet Jean-Claude
Médecine esthétique, La, Lanctot Guylaine
Obésité et cellulite, enfin la solution, Léonard Dr
  Gérard J.

Perdre son ventre en 30 jours H-F, Burstein Nancy et
  Matthews Roy
* Pontage coronarien, Le, Paquet Jean-Claude
Santé, un capital à préserver, Peeters E.G.
Travailler devant un écran, Feeley Dr Helen
Coffret 30 jours
30 jours pour avoir de beaux cheveux, Davis Julie
30 jours pour avoir de beaux ongles, Bozic Patricia
30 jours pour avoir de beaux seins, Larkin Régina
30 jours pour avoir un beau teint, Zizmor Dr
  Jonathan
30 jours pour cesser de fumer, Holland Gary et
  Weiss Herman
30 jours pour mieux organiser, Holland Gary
30 jours pour perdre son ventre (homme et
  femme), Matthews Roy, Burnstein Nancy
30 jours pour redevenir un couple amoureux, Nida
  Patricia K. et Cooney Kevin
30 jours pour un plus grand épanouissement
  sexuel, Schneider Alan et Laiken Deidre
Vos dents, Kandelman Dr Daniel
* Vos yeux, Chartrand Marie et Lepage-Durand
  Micheline

SEXOLOGIE

Adolescente veut savoir, L', Gendron Lionel
Contacts sexuels sans risques, Prévenir le SIDA,
  IASHS
Fais voir, Fleischhaner H.
Guide illustré du plaisir sexuel, Corey Dr Robert E.
  Helg, Bender Erich F.
* Ma sexualité de 0 à 6 ans, Robert Jocelyne
* Ma sexualité de 6 à 9 ans, Robert Jocelyne

* Ma sexualité de 9 à 12 ans, Robert Jocelyne
Nous, on en parle, Lamarche M., Danheux P.
Plaisir partagé, Le, Gary-Bishop Hélène
* Première expérience sexuelle, La, Gendron Lionel
* Sexe au féminin, Le, Kerr Carmen
* Sexualité du jeune adolescent, Gendron Lionel
* Sexualité dynamique, La, Lefort Dr Paul
* Shiatsu et sensualité, Rioux Yuki

SPORTS

100 trucs de billard, Morin Pierre
Le programme pour être en forme
Apprenez à patiner, Marcotte Gaston
Arc et la chasse, L', Guardon Greg
* Armes de chasse, Les, Petit Martinon Charles
* Badminton, Le, Corbeil Jean
* Canadiens de 1910 à nos jours, Les, Turowetz Allan et Goyens Chrystian
* Carte et boussole, Kjellstrom Bjorn
* Chasse au petit gibier, La, Paquet Yvon-Louis
Chasse et gibier du Québec, Bergeron Raymond
Chasseurs sachez chasse, Lapierre Lucie
* Comment se sortir du trou au golf, Brien Luc
* Comment vivre dans la nature, Rivière Bill
* Corrigez vos défauts au golf, Bergeron Yves
Curling, Le, Lukowich E.
Devenir gardien de but au hockey, Allair François
Encyclopédie de la chasse au Québec, Leiffet Bernard
Entraînement, poids-haltères, L', Ryan Frank
Exercices à deux, Gregor Carol
Golf au féminin, Le, Bergeron Yves
Grand livre des sports, Le, Le groupe Diagram
Guide complet du judo, Arpin Louis
* Guide complet du self-defense, Arpin Louis
Guide d'achat de l'équipement de tennis, Chevalier Richard et Gilbert Yvon
Guide de l'alpinisme, Le, Cappon Massimo
Guide de survie de l'armée américaine
Guide des jeux scouts, Association des scouts
Guide du judo au sol, Arpin Louis
Guide du self-defense, Arpin Louis
Guide du trappeur, Le, Provencher Paul
Hatha yoga, Piuze Suzanne
Initiation à la planche à voile, Wulff D., Morch K.
* J'apprends à nager, Lacoursière Réjean
* Jogging, Le, Chevalier Richard
Jouez gagnant au golf, Brien Luc
Larry Robinson, le jeu défensif, Robinson Larry
Lutte olympique, La, Sauvé Marcel
* Manuel de pilotage, Transport Canada

* Marathon pour tous, Anctil Pierre
Maxi-performance, Garfield Charles A. et Bennett Hal Zina
* Médecine sportive, Mirkin Dr Gabe
Mon coup de patin, Wild John
Musculation pour tous, Laferrière Serge
Natation de compétition, La, Lacoursière Réjean
Partons en camping, Satterfield Archie et Bauer Eddie
Partons sac au dos, Satterfield Archie et Bauer Eddie
Passes au hockey, Champleau Claude
Pêche à la mouche, La, Marleau Serge
Pêche à la mouche, Vincent Serge-J.
Pêche au Québec, La, Chamberland Michel
* Planche à voile, La, Maillefer Gérald
* Programme XBX, Aviation Royale du Canada
Provencher, le dernier coureur des bois, Provencher Paul
Racquetball, Corbeil Jean
Racquetball plus, Corbeil Jean
Raquette, La, Osgoode William
* Rivières et lacs canotables, Fédération québécoise du canot-camping
* S'améliorer au tennis, Chevalier Richard
Secrets du baseball, Les, Raymond Claude
Ski de fond, Le, Roy Benoît
* Ski de randonnée, Le, Corbeil Jean
Soccer, Le, Schwartz Georges
Stratégie au hockey, Meagher John W.
Surhommes du sport, Les, Desjardins Maurice
* Taxidermie, La, Labrie Jean
Techniques du billard, Morin Pierre
* Technique du golf, Brien Luc
Techniques du hockey en URSS, Dyotte Guy
* Techniques du tennis, Ellwanger
* Tennis, Le, Roch Denis
Tous les secrets de la chasse, Chamberland Michel
Vivre en forêt, Provencher Paul
Voie du guerrier, La, Di Villadorata
Volley-ball, Le, Fédération de volley-ball
Yoga des sphères, Le, Leclerq Bruno

8

le jour,
éditeur

ANIMAUX

Guide du chat et de son maître, Laliberté Robert
Guide du chien et de son maître, Laliberté Robert

Poissons de nos eaux, Melançon Claude

ART CULINAIRE ET DIÉTÉTIQUE

Armoire aux herbes, L', Mary Jean
Breuvages pour diabétiques, Binet Suzanne
Cuisine du jour, La, Pauly Robert
Cuisine sans cholestérol, Boudreau-Pagé
Desserts pour diabétiques, Binet Suzanne
Jus de santé, Les, Brunet Jean-Marc
Mangez ce qui vous chante, Pearson Dr Leo

Mangez, réfléchissez et devenez svelte, Kothkin Leonid
Nutrition de l'athlète, Brunet Jean-Marc
Recettes Soeur Berthe - été, Sansregret soeur Berthe
Recettes Soeur Berthe - printemps, Sansregret soeur Berthe

ARTISANAT/ARTS MÉNAGERS

Diagrammes de courtepointes, Faucher Lucille
Douze cents nouveaux trucs, Grisé-Allard Jeanne
Encore des trucs, Grisé-Allard Jeanne

Mille trucs madame, Grisé-Allard Jeanne
Toujours des trucs, Grisé-Allard Jeanne

DIVERS

Administrateur de la prise de décision, Filiatreault P. et Perreault Y.G.
Administration, développement, Laflamme Marcel
Assemblées délibérantes, Béland Claude
Assoiffés du crédit, Les, Féd. des A.C.E.F.
Baie James, La, Bourassa Robert
Bien s'assurer, Boudreault Carole
Cent ans d'injustice, Hertel François
Ces mains qui vous racontent, Boucher André-Pierre
550 métiers et professions, Charneux Helmy
Coopératives d'habitation, Les, Leduc Murielle
Dangers de l'énergie nucléaire, Les, Brunet Jean-Marc
Dis papa c'est encore loin, Corpatnauy Francis
Dossier pollution, Chaput Marcel

Énergie aujourd'hui et demain, De Martigny François
Entreprise et le marketing, L', Brousseau
Forts de l'Outaouais, Les, Dunn Guillaume
Grève de l'amiante, La, Trudeau Pierre
Hiérarchie ethnique dans la grande entreprise, Rainville Jean
Impossible Québec, Brillant Jacques
Initiation au coopératisme, Béland Claude
Julius Caesar, Roux Jean-Louis
Lapokalipso, Duguay Raoul
Lune de trop, Une, Gagnon Alphonse
Manifeste de l'Infonie, Duguay Raoul
Mouvement coopératif québécois, Deschêne Gaston
Obscénité et liberté, Hébert Jacques

9

Philosophie du pouvoir, Blais Martin
Pourquoi le bill 60, Gérin-Lajoie P.
Stratégie et organisation, Desforges Jean et
Vianney C.

Trois jours en prison, Hébert Jacques
Vers un monde coopératif, Davidovic Georges
Vivre sur la terre, St-Pierre Hélène
Voyage à Terre-Neuve, De Gébineau comte

ENFANCE

Aidez votre enfant à choisir, Simon Dr Sydney B.
Deux caresses par jour, Minden Harold
Être mère, Bombeck Erma
Parents efficaces, Gordon Thomas

Parents gagnants, Nicholson Luree
Psychologie de l'adolescent, Pérusse-Cholette
Françoise
1500 prénoms et significations, Grisé Allard J.

ÉSOTÉRISME

* Astrologie et la sexualité, L', Justason Barbara
Astrologie et vous, L', Boucher André-Pierre
* Astrologie pratique, L', Reinicke Wolfgang
Faire se carte du ciel, Filbey John
Grand livre de la cartomancie, Le, Von Lentner G.
* Grand livre des horoscopes chinois, Le, Lau
Theodora
Graphologie, La, Cobbert Anne
* Horoscope et énergie psychique, Hamaker-Zondag

Horoscope chinois, Del Sol Paula
Lu dans les cartes, Jones Marthy
* Pendule et baguette, Kirchner Georg
* Pratique du tarot, La, Thierens E.
Preuves de l'astrologie, Comiré André
Qui êtes-vous? L'astrologie répond, Tiphaine
Synastrie, La, Thornton Penny Traité d'astrologie,
Hirsig Huguette
Votre destin par les cartes, Dee Nerys

HISTOIRE

Administration en Nouvelle-France, L', Lanctot
Gustave
Histoire de Rougemont, Bédard Suzanne
Lutte pour l'information, La, Godin Pierre
Mémoires politiques, Chaloult René
Rébellion de 1837, Saint-Eustache, Globensky
Maximillien

Relations des Jésuites T.2
Relations des Jésuites T.3
Relations des Jésuites T.4
Relations des Jésuites T.5

JEUX/DIVERTISSEMENTS

Backgammon, Lesage Denis

LINGUISTIQUE

Des mots et des phrases, T. 1, Dagenais Gérard
Des mots et des phrases, T. 2, Dagenais Gérard

Joual de Troie, Marcel Jean

NOTRE TRADITION

Ah mes aïeux, Hébert Jacques

Lettre à un Français qui veut émigrer au Québec,
Dubuc Carl

PSYCHOLOGIE

11

Vivre avec les imperfections de l'autre, Janda Dr Louis H.
* Vivre c'est vendre, Chaput Jean-Marc

* Vivre heureux avec le strict nécessaire, Kirschner Josef
Votre perception extra sensorielle, Milan Dr Ryzl
Votre talon d'Achille, Bloomfield Dr. Harold

ROMANS/ESSAIS

À la mort de mes 20 ans, Gagnon P.O.
Affrontement, L', Lamoureux Henri
Bois brûlé, Roux Jean-Louis
100 000e exemplaire, Le, Dufresne Jacques
* Ça s'est passé à Montréal, Steinberg Donna
C't'a ton tour Laura Cadieux, Tremblay Michel
Cité dans l'oeuf, La, Tremblay Michel
Coeur de la baleine bleue, Le, Poulin Jacques
Coffret petit jour, Martucci Abbé Jean
Colin-Maillard, Hémon Louis
Contes pour buveurs attardés, Tremblay Michel
Contes érotiques indiens, Schwart Herbert
Crise d'octobre, Pelletier Gérard
Cyrille Vaillancourt, Lamarche Jacques
Desjardins Al., Homme au service, Lamarche Jacques
De Z à A, Losique Serge
Deux Millième étage, Le, CarrierRoch
D'Iberville, Pellerin Jean
Dragon d'eau, Le, Holland R.F.
Équilibre instable, L', Deniset Louis
Éternellement vôtre, Péloquin Claude
Femme d'aujourd'hui, La, Landsberg Michele
Femme de demain, Keeton Kathy
Femmes et politique, Cohen Yolande
Filles de joie et filles du roi, Lanctot Gustave
Floralie où es-tu, Carrier Roch

Fou, Le, Châtillon Pierre
Français langue du Québec, Le, Laurin Camille
Hommes forts du Québec, Weider Ben
Il est par là le soleil, Carrier Roch
J'ai le goût de vivre, Delisle Isabelle
J'avais oublié que l'amour, Doré-Joyal Yves
Jean-Paul ou les hasards de la vie, Bellier Marcel
Johnny Bungalow, Villeneuve Paul
Jolis Deuils, Carrier Roch
Lettres d'amour, Champagne Maurice
Louis Riel patriote, Bowsfield Hartwell
Louis Riel un homme à pendre, Osier E.B.
Ma chienne de vie, Labrosse Jean-Guy
Marche du bonheur, La, Gilbert Normand
Mémoires d'un Esquimau, Metayer Maurice
Mon cheval pour un royaume, Poulin J.
Neige et le feu, La, Baillargeon Pierre
N'Tsuk, Thériault Yves
* Objectif camouflé, Porter Anna
Opération Orchidée, Villon Christiane
Orphelin esclave de notre monde, Labrosse Jean
Oslovik fait la bombe, Oslovik
Parlez-moi d'humour, Hudon Normand
Scandale est nécessaire, Le, Baillargeon Pierre
* Thrax, Guay Michel
Train de Maxwell, Le, Hyde Christopher
Vivre en amour, Delisle Lapierre

SANTÉ

Alcool et la nutrition, L', Brunet Jean-Marc
Bruit et la santé, Le, Brunet Jean-Marc
Chaleur peut vous guérir, La, Brunet Jean-Marc
Échec au vieillissement prématuré, Blais J.
Greffe des cheveux vivants, Guy Dr
Guérir votre foie, Jean-Marc Brunet
Information santé, Brunet Jean-Marc
Magie en médecine, Sylva Raymond
Maigrir naturellement, Lauzon Jean-Luc
Mort lente par le sucre, Duruisseau Jean-Paul

40 ans, âge d'or, Taylor Eric
Recettes naturistes pour arthritiques et rhumatisants, Cuillerier Luc
Santé de l'arthritique et du rhumatisant, Labelle Yvan
* Tao de longue vie, Le, Soo Chee
Vaincre l'insomnie, Filion Michel,Boisvert Jean-Marie, Melanson Danielle
Vos aliments sont empoisonnés, Leduc Paul

SEXOLOGIE

* **Aimer les hommes pour toutes sortes de bonnes raisons**, Nir Dr Yehuda
* **Apprentissage sexuel au féminin, L'**, Kassoria Irene
* **Comment faire l'amour à la même personne pour le reste de votre vie**, O'Connor Dagmar
* **Comment faire l'amour à un homme**, Penney Alexandra
* **Comment faire l'amour ensemble**, Penney Alexandra
* **Dépression nerveuse et le corps, La**, Lowen Dr Alexander
* **Drogues, Les**, Boutot Bruno

* **Femme célibataire et la sexualité, La**, Robert M.
* **Jeux de nuit**, Bruchez Chantal
* **Magie du sexe, La**, Penney Alexandra
* **Massage en profondeur, Le**, Bélair Michel
* **Massage pour tous, Le**, Morand Gilles
* **Première fois, La**, L'Heureux Christine
* **Rapport sur l'amour et la sexualité**, Brecher Edward
* **Sexualité expliquée aux adolescents, La**, Boudreau Yves
* **Sexualité expliquée aux enfants, La**, Cholette Pérusse F.

SPORTS

Baseball-Montréal, Leblanc Bertrand
Chasse au Québec, Deyglun Serge
Chasse et gibier du Québec, Guardon Greg
Exercice physique pour tous, Bohemier Guy
Grande forme, Baer Brigitte
Guide des pistes cyclables, Guy Côté
Guide des rivières du Québec, Fédération canot-kayac
Lecture des cartes, Godin Serge
Offensive rouge, L', Boulonne Gérard

Pêche et coopération au Québec, Larocque Paul
Pêche sportive au Québec, Deyglun Serge
Raquette, La, Lortie Gérard
Santé par le yoga, Piuze Suzanne
Saumon, Le, Dubé Jean-Paul
Ski nordique de randonnée, Brady Michael
Technique canadienne de ski, O'Connor Lorne
Truite et la pêche à la mouche, La, Ruel Jeannot
Voile, un jeu d'enfants, La, Brunet Mario

ROMANS/ESSAIS/THÉATRE

Andersen Marguerite,
De mémoire de femme
AquinHubert,
Blocs erratiques
Archambault Gilles,
La fleur aux dents
Les pins parasols
Plaisirs de la mélancolie
Atwood Margaret,
Les danseuses et autres nouvelles
La femme comestible
Marquée au corps
Audet Noël,
Ah, L'amour l'amour

Baillie Robert,
La couvade
Des filles de beauté
Barcelo François,
Agénor, Agénor, Agénor et Agénor
Beaudin Beaupré Aline,
L'aventure de Blanche Morti
Beaudry Marguerite,
Tout un été l'hiver
Beaulieu Germaine,
Sortie d'elle(s) mutante

Beaulieu Michel,
Je tourne en rond mais c'est autour de toi
La représentation
Sylvie Stone
Bilodeau Camille,
Une ombre derrière le coeur
Blais Marie-Claire,
L'océan suivi de Murmures
Une liaison parisienne
Bosco Monique,
Charles Lévy M.S. Schabbat
Bouchard Claude,
La mort après la mort
Brodeur Hélène,
Entre l'aube et le jour
Brossard Nicole,
Armantes
French Kiss
Sold Out
Un livre
Brouillet Chrystine,
Chère voisine
Coup de foudre
Callaghan Barry,
Les livres de Hogg
Cayla Henri,
Le pan-cul
Dahan Andrée,
Le printemps peut attendre
De Lamirande Claire,
Le grand élixir
Doyon Louise,
Les héritiers
Dubé Danielle,
Les olives noires
Dessureault Guy,
La maîtresse d'école
Dropaött Papartchou,
Salut Bonhomme
Doerkson Margaret
Jazzy
Dubé Marcel,
Un simple soldat
Dussault Jean,
Le corps vêtu de mots
Essai sur l'hindouisme
L'orbe du désir
Pour une civilisation du plaisir
Engel Marian,
L'ours
Fontaine Rachel,
Black Magic
Forest Jean,
L'aube de Suse
Le mur de Berlin P.Q.
Nourrice!... Nourrice!...
Garneau Jacques,
Difficiles lettres d'amour

Gélinas Gratien,
Bousille et les justes
Fridolinades, T.1 (1945-1946)
Fridolinades, T.2 (1943-1944)
Fridolinades, T.3 (1941-1942)
Ti-Coq
Gendron Marc,
Jérémie ou le Bal des pupilles
GevryGérard,
L'homme sous vos pieds
L'été sans retour
Godbout Jacques,
Le réformiste
Harel Jean-Pierre,
Silences à voix haute
Hébert François,
Holyoke
Le rendez-vous
Hébert Louis-Philippe,
La manufacture de machines
Manuscrit trouvé dans une valise
Hogue Jacqueline,
Aube
Huot Cécile,
Entretiens avec Omer Létourneau
Jasmin Claude,
Et puis tout est silence
Laberge Albert,
La scouine
Lafrenière Joseph,
Carolie printemps
L'après-guerre de l'amour
Lalonde Robert,
La belle épouvante
Lamarche Claude,
Confessions d'un enfant d'un demi-siècle
Je me veux
Lapierre René,
Hubert Aquin
Larche Marcel,
So Uk
Larose Jean,
Le mythe de Nelligan
Latour Chrystine,
La dernière chaîne
Le mauvais frère
Le triangle brisé
Tout le portrait de sa mère
Lavigne Nicole,
Le grand rêve de madame Wagner
Lavoie Gaëtan,
Le mensonge de Maillard
Leblanc Louise,
Pop Corn
37 1/2AA
Marchessault Jovette,
La mère des herbes

14

Marcotte Gilles,
  La littérature et le reste
Marteau Robert,
  Entre temps
Martel Émile,
  Les gants jetés
Martel Pierre,
  Y'a pas de métro à Gélude-La-Roche
Monette Madeleine,
  Le double suspect
  Petites violences
Monfils Nadine,
  Laura Colombe, contes
  La velue
Ouellette Fernand,
  La mort vive
  Tu regardais intensément Geneviève
Paquin Carole,
  Une esclave bien payée
Paré Paul,
  L'improbable autopsie
Pavel Thomas,
  Le miroir persan
Pollak Véra,
  Rose-Rouge
Poupart Jean-Marie,
  Bourru mouillé
Robert Suzanne,
  Les trois soeurs de personneVulpera
Robertson Heat,
  Beauté tragique

Ross Rolande,
  Le long des paupières brunes
Roy Gabrielle,
  Fragiles lumières de la terre
Saint-Georges Gérard,
  1, place du Québec Paris VIe
Sansfaçon Jean-Robert,
  Loft Story
Saurel Pierre,
  IXE-13
Savoie Roger,
  Le philosophe chat
Svirsky Grigori,
  Tragédie polaire, nouvelles
Szucsany Désirée,
  La passe
Thériault Yves,
  Aaron
  Agaguk
  Le dompteur d'ours
  La fille laide
  Les vendeurs du temple
Turgeon Pierre,
  Faire sa mort comme faire l'amour
  La première personne
  Prochainement sur cet écran
  Un, deux, trois
Trudel Sylvain,
  Le souffle de l'Harmattan
Vigneault Réjean,
  Baby-boomers

COLLECTIF DE NOUVELLES

Aimer
Crever l'écran
Dix contes et nouvelles fantastiques
Dix nouvelles de science-fiction québécoise

Dix nouvelles humoristiques
Fuites et poursuites
L'aventure, la mésaventure

LIVRES DE POCHES 10/10

Aquin Hubert,
  Blocs erratiques
Brouillet Chrystine,
  Chère voisine
Dubé Marcel,
  Un simple soldat
Gélinas Gratien,
  Bousille et les justes
  Ti-Coq
Harvey Jean-Charles,
  Les demi-civilisés
Laberge Albert
  La scouine

Thériault Yves,
  Aaron
  Agaguk
  Cul-de-sac
  La fille laide
  Le dernier havre
  Le temps du carcajou
  Tayaout
Turgeon Pierre,
  Faires sa mort comme faire l'amour
  La première personne

NOTRE TRADITION

Aucoin Gérard,
L'oiseau de la vérité
Bergeron Bertrand,
Les barbes-bleues
Deschênes Donald,
C'était la plus jolie des filles
Desjardins Philémon et Gilles Lamontagne,
Le corbeau du mont de la Jeunesse
Dupont Jean-Claude,
Contes de bûcherons

Gauthier Chassé Hélène,
À diable-vent
Laforte Conrad,
Menteries drôles et merveilleuse
Légaré Clément,
La bête à sept têtes
Pierre La Fève

DIVERS

A.S.D.E.Q.,
Québec et ses partenaires
Qui décide au Québec?
Bailey Arthur,
Pour une économie du bon sens
Bergeron Gérard,
Indépendance oui mais
Boissonnault Pierre,
L'hybride abattu
Collectif Clio, L'histoire des femmes au Québec
Clavel Maurice,
Dieu est Dieu nom de Dieu
Centre des dirigeants d'entreprise,
Relations du travail
Creighton Donald,
Canada - Les débuts héroiques
De Lamirande Claire,
Papineau
Dupont Pierre,
15 novembre 76
Dupont Pierre et Gisèle Tremblay,
Les syndicats en crise
Fontaine Mario
Tout sur les p'tits journaux z'artistiques
Gagnon G., A. Sicotte et G. Bourrassa,
Tant que le monde s'ouvrira
Gamma groupe,
La société de conservation

Garfinkel Bernie,
Liv Ullmann Ingmar Bergman
Genuist Paul,
La faillite du Canada anglais
Haley Louise,
Le ciel de mon pays, T.1
Le ciel de mon pays, T.2
Harbron John D.,
Le Québec sans le Canada
Hébert Jacques et Maurice F. Strong,
Le grand branle-bas
Matte René,
Nouveau Canada à notre mesure
Monnet François-Mario,
Le défi québécois
Mosher Terry-Ailsin,
L'humour d'Aislin
Pichette Jean,
Guide raisonné des jurons
Powell Robert,
L'esprit libre
Roy Jean,
Montréal ville d'avenir
Sanger Clyde,
Sauver le monde
Schirm François,
Persoone ne voudrait savoir
Therrien Paul,
Les mémoires de J.E.Bernier

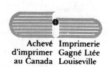

Achevé   Imprimerie
d'imprimer Gagné Ltée
au Canada   Louiseville